Écrire avec plaisir, un trait à la fois

Jessica Saada • Andrée Fortin

Écrire avec plaisir, un trait à la fois

Jessica Saada et Andrée Fortin

Édition: Marie-Hélène Ferland
Coordination: Marie-Ève Bergeron-Gaudin
Révision linguistique: Sylvie Bernard
Correction d'épreuves: Louise Verreault
Illustrations: Stéphane Morin
Conception de la couverture: Josée Brunelle
Illustration de la couverture: Anne Villeneuve

Dans cet ouvrage, le masculin est utilisé comme représentant des deux sexes, sans discrimination à l'égard des hommes et des femmes, et dans le seul but d'alléger le texte.

Catalogage avant publication de Bibliothèque et Archives nationales du Québec et Bibliothèque et Archives Canada

Saada, Jessica

Écrire avec plaisir, un trait à la fois

(Chenelière/Didactique. Langue et communication)
Comprend des réf. bibliogr.

ISBN 978-2-7650-2477-4

1. Composition (Exercice littéraire) – Étude et enseignement (Primaire). 2. Français (Langue) – Composition et exercices. 3. Composition (Exercice littéraire) – Problèmes et exercices. I. Fortin, Andrée, 1974- . II. Titre. III. Collection: Chenelière/Didactique. Langue et communication.

LB1575.8.S22 2010 372.62'3044 C2010-940140-9

5800, rue Saint-Denis, bureau 900
Montréal (Québec) H2S 3L5 Canada
Téléphone : 514 273-1066
Télécopieur : 514 276-0324 ou 1 800 814-0324
info@cheneliere.ca

ISBN 978-2-7650-2477-4

Dépôt légal: 1er trimestre 2010
Bibliothèque et Archives nationales du Québec
Bibliothèque et Archives Canada

Imprimé au Canada

3 4 5 6 7 M 21 20 19 18 17

Gouvernement du Québec – Programme de crédit d'impôt pour l'édition de livres – Gestion SODEC.

Ce projet est financé en partie par le gouvernement du Canada | Canada

Table des matières

Avant-propos

Chers enseignants, chers lecteurs,

Dans les médias, on répète sans cesse que les élèves d'aujourd'hui ne savent pas écrire. Dans les écoles, on entend souvent dire que le travail d'écriture représente une corvée incontournable. Dans les classes, malgré la bonne volonté des enseignants, les tâches d'écriture pèsent lourd, car ceux-ci entrevoient dès le départ la quantité infinie de corrections à faire et la difficulté à faire avancer les élèves sur ce plan. Et lorsque fidèles au processus, ils dirigent remue-méninges et toiles d'idées, premières ébauches et relectures, le découragement les guette. En effet, s'ils réussissent à surmonter le syndrome de la page blanche, à faire démarrer même leurs élèves les plus réticents, tout s'effondre à l'étape de la révision ou de la correction. À ce moment, les élèves, gentiment assis en face de leur coéquipier, s'affairent activement et consciencieusement à ajouter des erreurs à leur texte. Pire encore, c'est avec toute leur bonne volonté et les meilleures intentions du monde qu'ils massacrent des écrits déjà imparfaits. Pourquoi le travail d'écriture est-il si ardu? Pourquoi les élèves semblent-ils étanches au progrès en ce qui a trait à l'écrit? Devrions-nous baisser les bras en désespoir de cause?

Au départ, en tant qu'enseignantes, nous étions toutes deux hantées par ces questions. Nous avions une expérience professionnelle différente et un parcours qui nous était propre; nous travaillions dans deux commissions scolaires de deux régions distinctes. Puisque nous ne nous connaissions pas à l'époque, nous vivions parallèlement des frustrations quant au développement des compétences à l'écrit de nos élèves, et des angoisses quant à notre capacité à faire avancer la cause de l'écrit auprès d'eux.

Lorsque nous nous sommes rencontrées, nous débutions en tant que conseillères pédagogiques. Ce nouveau poste nous a ouvert une perspective plus large en nous permettant de jeter un regard sur l'ensemble des enseignants de nos commissions scolaires respectives. C'est ainsi que nous nous sommes rendu compte que les soucis que nous avions sur le plan de l'écriture, nous n'étions pas les seules à les porter. Bien au contraire, il s'agissait d'une inquiétude généralisée, d'un souci collectif. C'est à partir de cet instant que nous avons décidé de nous attaquer au problème de façon plus systématique. Nous avons donc cherché des pistes de solutions répondant à cinq objectifs:

1. Mieux soutenir le développement des compétences à l'écrit des élèves.
2. Alléger le fardeau des enseignants en ce qui a trait à la correction des écrits de leurs élèves.
3. Proposer un langage commun aux enseignants comme aux élèves pour parler de l'écriture.
4. Augmenter la motivation des élèves à l'égard du travail d'écriture, car écrire, c'est pour toute la vie.
5. Rendre plus évidents, pour les élèves et les enseignants, les liens qui unissent la lecture et l'écriture.

C'est dans cette perspective que nous avons entamé le travail qui a mené à cet ouvrage. Nous ne prétendons pas avoir de solutions miracles ou de réponses à tout. Par contre, sachez que nous sommes issues du milieu de l'enseignement, que nous avons toujours les deux pieds plantés fermement dans la classe, et que nous privilégions sans cesse l'aspect concret et pratique de toute démarche.

Dans l'introduction du présent ouvrage, nous avons tenté de définir le travail d'écriture dans la classe et de cerner les aspects pertinents de la motivation. Nous avons voulu expliquer les bases sur lesquelles nous avons fondé notre ouvrage, tout en traçant le chemin qui permettrait au lecteur de bien s'y retrouver.

Nous abordons ensuite les six traits d'écriture, une philosophie qui est née aux États-Unis dans les années 1980. Celle-ci est très connue à travers le monde anglophone, mais elle commence à peine à être connue depuis quelques années dans la francophonie. Chaque trait est défini. Une liste annotée d'albums est fournie pour chaque trait, de manière à vous permettre de faire des liens évidents entre la lecture et l'écriture, et d'aborder ainsi concrètement chacun des traits. En outre, des activités sont présentées pour vous donner des idées pratiques à mettre en œuvre dans votre classe.

Il est à noter qu'un bref chapitre sur l'évaluation vous propose des pistes et des outils pour mieux diriger votre enseignement de l'écriture et cerner le progrès des élèves à l'écrit.

Enfin, vous trouverez une bibliographie générale de tous les livres présentés dans chaque chapitre, une bibliographie de collections en littératie en lien avec les six traits d'écriture, puis une bibliographie des ressources didactiques que nous avons jugées pertinentes.

Bonne lecture et, surtout, bonne écriture avec vos élèves !

Jessica et Andrée

Remerciements

À ma maman, Nicole, avec qui chaque instant de lecture a toujours été pure magie, chaque instant d'écriture, l'occasion d'être magicienne.

À mon papa, Jacques, qui m'a inculqué l'amour de la langue et la passion des mots.

À Elizabeth Ford Makarow, collègue et amie avec qui je négocie toutes les idées, jour après jour, pour mieux définir la voix.

À mon J. et à sa S., pour une question de fluidité des phrases.

À mes garçons adorés, Nicolas et Sébastien, avec qui je redécouvre sans cesse le bonheur de lire et le plaisir d'écrire.

Merci.

Jessica

Je voudrais d'abord remercier tous les enseignants avec qui j'ai eu la chance de travailler ces dernières années. Et tous les élèves avec qui j'ai fait un petit bout de chemin sur la route de l'apprentissage.

Ruth Ahern qui, encore aujourd'hui, joue un grand rôle dans ma vie professionnelle. Son sourire, ses encouragements et surtout ses silences porteurs de mots font d'elle un mentor sensationnel.

Un énorme merci à mes parents qui, depuis mon très jeune âge, m'incitent à me dépasser. C'est toujours réconfortant de savoir qu'ils sont là peu importe la force de la tempête.

Merci à toi Camille, ma pupuce qui, par tes petits mots, tes petites caresses, font de moi ce que je suis aujourd'hui. Tu es un cadeau du ciel. Il n'y a rien de plus réconfortant que d'entendre ta petite voix me souffler à l'oreille : « Maman, tu es vraiment la meilleure maman du monde. »

Enfin, merci à toi, Martin, qui vis au jour le jour mes hauts et mes bas, sans jamais rien dire. Un ami, un amoureux comme toi, toujours prêt à me supporter dans mes défis, c'est précieux. Merci de me tenir la main.

Merci est un simple et petit mot mais qui veut dire beaucoup !

Andrée

Notre appréciation sincère aussi à Chenelière Éducation, à Marie-Hélène Ferland, qui a bien voulu embarquer, et à Marie-Ève Bergeron-Gaudin, qui a su ramer avec nous.

Introduction

L'écrit au quotidien

Être un auteur

Quels sont vos trois plus récents écrits? Un chèque? Une liste d'achats à faire? Une note à un parent d'élève? Un message électronique à une amie? Une recette à ne pas oublier? Vous écrivez donc au quotidien; mais êtes-vous auteur? Si vous avez répondu «oui», vous avez tout à fait raison, puisque la définition d'un auteur est la suivante: «Celui qui est la première cause d'une chose. Celui qui a fait un ouvrage de littérature, d'art ou de science. Le responsable» (dictionnaire mediadico, 2009). Êtes-vous la première cause de vos écrits? Oui. En êtes-vous le responsable? Oui. Si un écrivain reçoit ou espère recevoir une certaine rémunération pour un ouvrage d'écriture, un auteur est tout simplement celui qui a recours à l'écriture.

Le travail d'écriture

À quoi ressemble le travail d'écriture dans votre classe? Lorsque nous posons la question aux enseignants que nous côtoyons, la réponse spontanée inclut le journal de bord, les productions écrites (compositions) et les dictées. En fait, tout ce que nous faisons en classe contribue à développer la capacité des élèves à écrire. Les tâches orales, écrites et de lecture ainsi que toutes les expériences vécues au quotidien, telles les interactions informelles entre les élèves, permettent d'explorer la langue, d'exploiter le vocabulaire, d'accumuler les idées, de structurer la pensée, de développer l'esprit critique, et bien plus encore. À titre d'exemple, rappelez-vous que la lecture est en fait l'observation et l'interprétation de l'écrit. Par la lecture, nous constatons les succès et les écueils de l'écrit, nous en ressentons les effets et nous en analysons le pouvoir. Le travail d'écriture dans une salle de classe va bien au-delà du crayon posé sur le papier. C'est en lisant, en échangeant, en discutant, en racontant, et en écrivant de diverses manières que nous devenons de meilleurs auteurs.

Le sentiment de besoin immédiat

Pourquoi écrire? Lorsque nous écrivons au quotidien, c'est que nous en ressentons le besoin. Il est peu probable qu'assis dans votre salon, bien installé devant la télévision, vous ayez l'envie soudaine et irrésistible d'écrire un chèque à votre compagnie de téléphone. Cependant, si vous avez reçu un avis vous indiquant que vous devez payer une certaine somme avant la fin de la semaine, sans quoi votre ligne téléphonique sera coupée, vous ressentez alors certainement le besoin plus immédiat d'interrompre vos activités pour l'écrire, ce chèque. Ce besoin immédiat est cultivé par le contexte (les conditions qui entourent la tâche), l'intention (le but d'écrire), l'auditoire (le lecteur) et l'authenticité (le caractère vraisemblable de la tâche dans la vie de tous les jours) (Routman, 2007). Prenez en exemple la pratique commune voulant que les élèves réécrivent le dernier chapitre d'un livre qu'ils viennent de lire collectivement. Cela répond-il à un besoin?

Il convient de réfléchir ensemble à l'aide d'une petite mise en scène. Il est minuit. Vous devriez être couché depuis bien longtemps, car vos élèves vous attendent dès 8 h demain matin, mais vous avez à vos côtés un superbe livre, et il ne vous reste plus que le dernier chapitre à lire. Vous repoussez donc le sommeil pour terminer votre lecture et vous êtes épuisé mais heureux d'avoir lu l'histoire jusqu'au bout. Que faites-vous ensuite? Vous vous installez à votre bureau pour... réécrire le dernier chapitre? C'est peu probable. Qui a déjà ressenti l'envie irrépressible de réécrire la fin d'un roman passionnant? Et pourtant, c'est ce que maints enseignants très bien intentionnés exigent de leurs élèves. Par contre, si avec votre classe, vous avez lu un excellent livre dont la fin vous a déçus, vous avez alors un contexte plus favorable à la réécriture. De plus, si vous proposez aux élèves d'envoyer la fin améliorée à l'auteur du texte en question, ce qui est sans contredit l'auditoire concret tant recherché, vous ajoutez de l'authenticité à la tâche, et votre intention d'écriture devient beaucoup plus vraisemblable. Le fait de susciter un besoin immédiat chez les élèves vaut son pesant d'or car, sans celui-ci, toute tâche d'écriture reste superficielle, peu attrayante, et sans ce pouvoir motivant qui incite les élèves à s'investir, à prendre des risques et à se surpasser.

Le sentiment de compétence

Qu'est-ce qui donne envie d'écrire?

Vous vous êtes couché tard hier soir. Il est 5 h 45, et le téléphone sonne. Vous décrochez le combiné de peine et de misère. À l'autre bout du fil, votre ami vous invite à une journée de ski. Vous bondissez du lit et êtes prêt dans les quinze minutes qui suivent. Pourquoi? Est-ce la première fois que vous skiez? Certainement pas. Si vous démontrez autant d'enthousiasme malgré votre fatigue, il est probable que vous ayiez déjà fait l'expérience du ski. Vous n'êtes peut-être pas un expert, mais vous savez ce qui vous attend (il y aura une montagne à dévaler de haut en bas) et vous vous sentez certainement assez confiant pour que vos efforts soient récompensés par le plaisir. Puisque chaque piste est différente, cette journée présentera sûrement quelques défis, mais vous sentez que vous avez suffisamment d'outils pour vous permettre de gérer les nouveaux obstacles et de prendre les décisions nécessaires pour affronter l'inconnu. Vous vous sentez compétent. Pourquoi l'écriture serait-elle différente? Parmi les éléments qui ont un impact sur la motivation à écrire, on retrouve le sentiment de compétence de l'élève. Plus il se sentira capable, plus cela l'intéressera d'écrire. L'élève doit être régulièrement exposé à l'écriture pour acquérir de l'expérience. Il doit connaître les attentes tout en étant conscient qu'il y aura toujours de l'inconnu. Il doit avoir pour bagage des stratégies et des connaissances qui lui permettront de prendre les risques nécessaires. Il doit savoir ce qu'il maîtrise, pour l'exploiter davantage, et ce qui lui pose problème, pour chercher les ressources manquantes.

L'autodétermination

Si nous jugeons que l'écriture est importante, pourquoi ne pas simplement ordonner à nos élèves d'écrire tous les jours, tous ensemble, sur un même sujet, au même moment et de la même manière? Cette façon de procéder n'est-elle pas la meilleure pour obtenir des résultats assurés?

Imaginez : vous adorez lire à vos élèves, et la lecture à voix haute fait partie de votre routine. Un jour, le directeur vous convoque et vous ordonne de lire, entre 9 h et 9 h 10 le lendemain matin, un livre en particulier. En sortant de son bureau, votre envie de lire est-elle intacte ? Lirez-vous avec votre entrain habituel ? Il est fort probable que le simple fait d'avoir reçu un ordre mine votre enthousiasme pour la lecture et pour le livre à lire. Il en est ainsi pour les élèves. Chacun aime sentir qu'il garde un certain contrôle sur ses activités, qu'il a la possibilité de faire des choix. Il est vrai que le travail d'écriture dans la classe est indispensable. Cependant, l'écriture est générée par l'individu. Les élèves peuvent-ils choisir les approches, les stratégies, les sujets d'écriture ? Ont-ils l'impression d'être des auteurs ? Savent-ils ce sur quoi ils seront évalués ? Ont-ils participé à l'établissement des critères d'évaluation, ce qui leur permettrait de mieux cerner leur capacité à satisfaire aux attentes ? Sont-ils en mesure d'évaluer leur propre compétence à écrire, de manière à établir de nouveaux défis personnels et, ainsi, à se voir progresser ?

Écrire pour la vie

Pourquoi écrire ? Le travail d'écriture fait partie intégrante du travail scolaire. Il est obligatoire pour les élèves d'écrire. Dans ce cas, pourquoi se pencher autant sur la motivation des élèves à écrire ? Si la mission de l'école est de soutenir le développement d'êtres autonomes et de citoyens prêts à jouer un rôle actif dans la société, la responsabilité de l'école par rapport à l'écriture est alors de générer chez les élèves une envie d'écrire, la capacité et un souci de bien écrire qui s'étendent au-delà des murs de l'école.

Oui, mais comment ? Comment faire de ses élèves des auteurs accomplis, confiants et motivés à écrire ? Qu'est-ce qui permettrait d'avoir un impact sur le travail d'écriture des élèves ?

Les six traits

Il n'y a pas de poudre magique ou de solution miracle, mais la première étape consiste à décortiquer l'écriture en composantes distinctes bien qu'interreliées. Si vous laissez votre voiture au garage et que vous indiquez au mécanicien que celle-ci ne fonctionne pas, quelle sera la prochaine étape ? Il ne pourra pas la réparer sans chercher la source exacte du problème (freins ? suspension ? transmission ?). Changer la transmission n'améliorera en rien la situation si ce sont les freins qui sont usés. En revanche, une voiture sans freins n'est pas plus utile qu'une voiture sans transmission.

L'écriture est un tout, mais ses composantes ont chacune leurs caractéristiques et présentent des difficultés particulières. Lorsque les élèves s'attaquent à l'écriture et font face à certains obstacles, n'est-il donc pas normal de déterminer la source exacte de la difficulté ? S'agit-il d'un manque d'idées, de mots, de fluidité ? Les élèves ont-ils du mal à trouver leur voix, à structurer leur texte ? Ont-ils uniquement une difficulté sur le plan des conventions linguistiques ?

Les composantes de l'écriture que sont les idées, la structure, le choix des mots, la voix, la fluidité des phrases et les conventions linguistiques sont souvent appelées les « éléments d'écriture » ou les « six traits d'écriture », terme que nous avons adopté dans le présent ouvrage. Dans les années 1980, aux

États-Unis, des enseignants frustrés de ne pas avoir de bons outils pour poser des diagnostics précis et faire ainsi progresser le travail en écriture de leurs élèves ont décidé de prendre les choses en main. Ils ont analysé des centaines de travaux écrits pour en faire ressortir les caractéristiques les plus prometteuses. C'est ainsi qu'ont émergé les six traits d'écriture (Spandel, 2004), divisant l'écrit en six facettes uniques, mais indissociables. Ces six traits permettent à la fois d'étudier l'écrit de façon plus pointue, de parler de l'écrit à l'aide d'un vocabulaire commun, juste et explicite, d'enseigner l'écrit de façon plus limpide et définie, de mieux soutenir le développement des compétences des élèves à l'écrit en leur offrant les moyens de s'autoanalyser et, enfin, d'évaluer le travail d'écriture des élèves avec une plus grande précision. Les traits suivent une certaine chronologie; il est logique de commencer avec les idées, puisqu'il paraît inutile de parler de structure, par exemple, si nous n'avons pas encore de contenu. Cependant, celle-ci n'est pas hiérarchique: chaque trait a son importance, et il est préférable de revenir sur différents traits à divers moments. Les chapitres qui suivent présentent donc les traits dans leur ordre chronologique, mais nous vous invitons à les consulter dans l'ordre et le désordre, selon vos besoins.

Les prochaines pages ne décrivent pas une démarche précise exigeant que vous mettiez de côté votre pratique courante. En parcourant cet ouvrage, qui se veut avant tout un outil didactique de soutien pédagogique, vous aurez plutôt l'occasion de passer un moment à considérer chacun des traits et de réfléchir à l'enseignement requis pour mieux outiller les élèves par rapport à chaque trait.

Vous pourrez aussi voir les **petits bijoux**: des albums que nous proposons pour soutenir votre travail auprès des élèves. Ces petits bijoux peuvent servir de porte d'entrée pour aborder un trait. Bien que tous les livres puissent être utilisés pour présenter chacun des six traits, les caractéristiques particulières des petits bijoux, telles que nous les décrivons, mettent en évidence les aspects de l'écriture faisant l'objet d'une attention particulière. À la fin de chaque chapitre, une bibliographie vous permettra de poursuivre dans la même direction, liant lecture et écriture. Chaque bibliographie est propre au trait présenté. Nous vous encourageons à enrichir cette liste de vos propres coups de cœur chaque fois que vous découvrirez un album qui se prête particulièrement au travail sur l'un des traits.

Pour chacun des traits, vous aurez aussi l'occasion de consulter différentes activités proposées à titre d'exemples. Celles-ci permettent aux élèves de découvrir ou de travailler davantage les traits mis en relief dans les lectures et pendant les discussions en classe.

Un chapitre sur l'évaluation suivra ceux sur les divers traits d'écriture. Vous y trouverez des pistes pour vous aider à juger des progrès des élèves et à mieux planifier vos prochaines interventions par rapport au trait ciblé.

Une bibliographie annotée des **grands bijoux** se trouve au dernier chapitre du présent ouvrage. Nous mettons ces livres en lumière parce qu'ils permettent l'exploration de nombreux aspects de l'écriture et peuvent générer une réflexion significative sur le travail d'écriture.

L'annexe 1 *Des livrets pour enseigner les traits d'écriture* offre également des suggestions de livrets de lecture gradués, parus chez Chenelière Éducation, qui permettent d'aborder les traits d'écriture en classe. Ces livrets sont proposés en fonction des niveaux scolaires, de la 1re année du primaire à la 2e année du secondaire.

Grâce à l'amorce avec un petit bijou, à la découverte pratique avec les activités d'exploitation, aux rappels réguliers à l'aide des albums suggérés dans la bibliographie et aux outils d'évaluation, vous serez solidement soutenus dans vos démarches avec vos élèves.

Le comment faire

Comment entamer avec vos élèves le travail sur les six traits d'écriture ? Par l'exposition quotidienne, systématique et volontaire à l'écriture des autres. Et puisqu'il est rare que nous demandions à nos élèves de pondre des romans, le plus logique serait de les exposer à ce qui se rapproche davantage de leurs productions, c'est-à-dire l'album, ce livre assez court, caractérisé par de nombreuses illustrations. (Si vous pensez que l'album est réservé aux très jeunes enfants, détrompez-vous. Les albums sont de plus en plus riches et s'adressent à des publics de plus en plus variés.)

L'album permet de divertir, d'informer, de susciter l'attention et l'intérêt des élèves, tout en faisant ressortir chaque trait d'écriture de manière concrète et dynamique. L'album présentant un texte narratif est le premier type de texte avec lequel nous sommes en contact depuis notre plus tendre enfance, et celui sur lequel nous sommes amenés à travailler dès le début de notre parcours scolaire. Le texte narratif paraît donc le texte le plus « naturel » pour faire les liens dont les élèves auront besoin afin de devenir de plus en plus compétents à l'écrit. Peu importe l'âge des élèves (même les adultes aiment se faire raconter des histoires !), la lecture à voix haute d'albums permet à l'enseignant de rassembler la classe pour mettre en relief, de façon explicite, des composantes essentielles de l'écriture, c'est-à-dire les idées, la structure, la voix, le choix des mots, la fluidité des phrases et les conventions linguistiques. Pourquoi livrer aux élèves la théorie sur une conclusion efficace, par exemple, s'il est plutôt possible de lire une multitude de conclusions pour relever, concrètement, les éléments clés de sa rédaction ? Certains albums se prêtent mieux à la présentation d'un trait en particulier, mais il ne faut pas hésiter à lire et à relire le même livre qui aura plu à la classe pour mettre l'accent sur différents aspects et diverses composantes de l'écriture.

Pour travailler les six traits avec les élèves, il n'y a pas d'horaire à respecter. Le travail sur les traits peut être facilement intégré aux activités de littératie que vous faites déjà avec vos élèves. Il s'agit de tirer profit de toutes les occasions. À certains moments, vous choisirez de faire une leçon explicite sur un trait en particulier. Par exemple, si vous remarquez que vos élèves éprouvent des difficultés à bien structurer leurs idées, vous pouvez leur lire un album qui vous permet de mettre ce trait en évidence et d'amorcer concrètement avec eux la discussion sur la structure. Vous pouvez ensuite choisir de tenter l'une des activités proposées pour promouvoir auprès des élèves la réflexion nécessaire à leur développement. À d'autres moments, votre leçon ne sera pas centrée sur l'écriture comme telle. Il s'agira peut-être d'une leçon de science pendant laquelle vous lirez un texte à votre classe. Toutefois, si ce texte présente une excellente introduction, ou encore une utilisation intéressante de la ponctuation, pourquoi ne pas le souligner afin de ne jamais laisser loin derrière la réflexion sur l'écriture ?

En outre, n'oubliez pas que vous avez une classe remplie d'auteurs. Leurs écrits sont de riches exemples à partir desquels vous pouvez facilement mettre un trait en relief, amorcer une discussion ou réfléchir collectivement.

Entre les moments choisis et ceux qui apparaîtront au gré des activités pédagogiques quotidiennes dans votre classe, vous permettrez à vos élèves de progresser sans cesse en tant qu'auteurs.

Il y a plusieurs principes de base à garder en tête.

1. Le travail de l'enseignant est de promouvoir et de soutenir les apprentissages des élèves. Il semble donc logique que la présentation d'un trait se fasse en réponse à un besoin des élèves, ce qui assure sa pertinence. Si, par exemple, nous remarquons, dans le journal quotidien de nos élèves, qu'ils ne savent pas organiser leurs idées en paragraphes (*voir* la structure au chapitre 2), varier le début de leurs phrases (*voir* la fluidité au chapitre 4) ou se servir de la virgule (*voir* les conventions linguistiques au chapitre 6), nous venons de détecter un besoin lié à l'un des traits. Il ne s'agit donc pas d'aborder les traits les uns derrière les autres dans le but de les cocher sur une liste d'éléments à voir, mais de les présenter au moment où nous constatons que nos élèves en tireront profit, et de les intégrer dans le déroulement habituel des activités de littératie de la classe.
2. Si nous tenons compte du processus d'écriture, nous réalisons très rapidement que nous faisons appel à certains traits avant les autres. Par exemple, les idées passent en premier puisque, sans elles, il n'y a pas lieu de parler des autres traits, alors qu'un regard attentif sur les conventions linguistiques fait surtout surface au moment où le texte est déjà bien avancé. Par contre, il est possible de revenir sur chacun des traits, peu importe l'endroit où nous sommes rendus dans le processus. Ainsi, tout au long du processus d'écriture, il est permis d'enrichir son idée, de choisir d'autres mots ou de restructurer une section.
3. Puisque c'est collectivement qu'ils forment l'écriture, les six traits sont indissociables et interdépendants ; c'est cela que les élèves devront constater à un certain moment. Nous présenterons les traits séparément pour que chacun soit clair et bien ancré, mais nous reviendrons régulièrement au texte dans son ensemble. En travaillant sur un trait en particulier, nous ne corrigerons que celui-ci mais, en définitive, il faut considérer l'écriture comme un tout.

N'oubliez pas que la lecture aux élèves joue un rôle clé. Il vous reste dix minutes avant la récréation ? Lisez. Cette activité n'est pas un bouche-trou. Plus tard dans la journée, ces dix minutes de lecture à voix haute vous serviront de tremplin pour votre activité d'écriture. Mais n'attendez pas seulement ces dix minutes inespérées pour faire la lecture à vos élèves. Planifiez la lecture au quotidien et sachez dans quel but vous lisez. Quelle stratégie mettrez-vous de l'avant ? Quel trait soulignerez-vous ?

De plus, donnez à vos élèves la chance d'écrire quotidiennement : quelques mots, quelques lignes, quelques paragraphes, de façon formelle ou informelle, que vous corrigiez ces écrits ou non. Qu'il s'agisse d'une anecdote dans leur journal personnel, d'une recette, d'un message électronique, d'une lettre, d'une histoire inventée ou vécue, d'une réaction à un texte lu, vu ou entendu, d'un projet sur les oiseaux migrateurs ou sur le fonctionnement des ascenseurs, ou bien d'un article pour la presse du samedi, plus ils écriront, mieux ils écriront. Les quelques mots écrits le lundi pourront servir de point de départ à la tâche d'écriture du mercredi. Ou encore, lorsque vous parlerez du choix des mots, vous pourrez demander aux élèves de reprendre un de leurs écrits pour retravailler cet aspect. Et avec tous ces écrits, pensez à la base de données que vous aurez en tout temps pour prendre des décisions éclairées sur le travail à faire avec vos élèves, individuellement et collectivement.

Entretenir de bonnes relations avec l'écrit... dès aujourd'hui

Au fil des prochaines pages, nous espérons vous amener concrètement à une riche réflexion. Par votre prise de conscience, c'est-à-dire en ayant réfléchi aux spécificités de chacun des traits, en vous appuyant notamment sur les albums proposés pour les mettre en relief et en réalisant les activités présentées, vous serez plus apte à manipuler l'écriture avec vos élèves de façon concrète. Vous permettrez aux élèves non seulement de bien saisir chacun des traits, mais aussi, éventuellement, de se propulser vers un travail d'écriture dont la qualité augmentera sans cesse, proportionnellement à leur motivation à écrire.

Chapitre 1 Le syndrome de la page blanche : les idées

« Les idées sont avant tout de l'information. Des idées fortes signifient que l'auteur a un message clair et se concentre sur un même sujet. Il utilise des détails (les plus vivants possible) pour procurer au lecteur des images mentales colorées et intéressantes.

« Vos interventions en classe, que ce soit par la lecture à voix haute ou par l'analyse avec les élèves de leurs travaux, devraient porter essentiellement sur ce qui assure l'efficacité des idées : un *message clair,* des *détails intéressants* qui aident le lecteur à comprendre le message et la *cohérence* (ne pas s'éloigner du sujet). » (Spandel, 2007.)

La présentation du trait

Bien entendu, il y a des élèves qui peuvent, dès les premiers instants, se lancer tête première dans toute tâche d'écriture. Les mots ne leur manquent que rarement ; ils ont des idées plein la tête. Mais le syndrome de la page blanche est très répandu chez nos élèves. Sans idées à mettre sur papier, comment pouvons-nous travailler l'écriture ?

Le rôle de l'enseignant est d'amener les élèves à accéder à toutes les sources d'idées qui existent autour d'eux (expériences personnelles, autres lectures, connaissances, domaines d'intérêt, etc.). Souvent, il s'agit simplement de les guider dans la découverte des idées enfouies dans leur tête, de les aider à les saisir, à les démêler, à les définir et à les exprimer. Que cela soit à partir de leur vie, d'un souvenir d'enfance ou d'histoires déjà lues, toute idée harponnée gagne à être considérée pour en récolter les fruits potentiels.

Lorsqu'on parle du trait « les idées », on parle de l'idée principale ainsi que de toute l'exploitation qui peut en être faite. L'idée étant au cœur du texte, l'élève doit prêter attention à la clarté, à l'authenticité et à la précision de ses idées. Il doit s'assurer de bien connaître son sujet (idée principale), de pouvoir fournir des détails intéressants afin d'enrichir son texte et de captiver l'attention du lecteur.

Lorsque nous avons abordé le trait « les idées » avec un groupe d'élèves de huit ans, nous leur avons bien expliqué qu'aucun sujet n'est trop banal pour être exploré. Un élève a donc proposé l'idée du pâté chinois. À première vue, cette idée pourrait sembler insignifiante, peu attrayante. Nous lui avons demandé de nous en dire plus, ce qu'il a fait en nous parlant des ingrédients : « Le pâté chinois est fait avec du maïs, des patates, de la viande... » Tout cela, nous le savions déjà ; le pâté chinois est un mets plutôt répandu au Québec. Il était donc difficile pour notre petit élève de capter et de maintenir l'intérêt de son public. Il fallait l'amener à nous donner des éléments d'information que nous n'avions pas, à trouver des détails intéressants et personnels au sujet du pâté chinois, à réfléchir davantage sur sa propre expérience en lien avec ce mets. C'est ce que permet la discussion, l'échange oral sur un sujet. Au fil de la conversation, nous avons découvert que le pâté chinois représente chez cet élève le repas du vendredi soir, un repas familial pendant lequel tout le monde est détendu, sans devoirs à faire, sans obligations ; bref, un repas marquant le début du week-end. Ainsi, notre élève a saisi que le pâté chinois était loin d'être un sujet banal, qu'il tenait une histoire, que son idée était prête à être développée sur papier. Il est donc important de retenir qu'une fois l'idée centrale trouvée, il faut permettre aux élèves d'en discuter oralement avec au moins un partenaire pour favoriser le développement de cette idée et la définition de détails pertinents.

Les petits bijoux qui permettent d'aborder le trait

- *Qu'est-ce que j'ai dans la tête ?*

  L'auteur, François David, offre le livre parfait pour entamer les premières discussions sur les idées. Le personnage principal s'étonne quand sa maman, exaspérée, lui demande ce qu'il peut bien avoir dans la tête. Il se met à réfléchir intensément sur ce qui peut bien se loger là-haut, pour conclure, à la toute fin, que ce sont les idées qui occupent cet espace.

- *ABC les mots*

  Ce petit abécédaire collectif, qui n'en est pas vraiment un, permet d'exploiter les caractéristiques particulières de mots de tous les jours, plutôt banals ou ordinaires, pour en faire ressortir l'originalité et la spécificité. Nous avons tous un jour croqué une pomme ou vu un bateau. Mais que connaissons-nous au sujet des pommes et des bateaux ? Les élèves peuvent ensuite tenter la même expérience d'écriture toute simple avec d'autres mots communs : crayon, chapeau, lunettes, etc. Il s'agit donc d'un outil qui permet d'aborder concrètement la notion de détails intéressants.

- *Chers Maman et Papa*

  Dans ce magnifique album, l'auteure, Emily Gravett, aide à répondre à la question « Pourquoi écrire ? ». Sunny le suricate décide de quitter sa famille très nombreuse dont les membres font toujours tout ensemble. L'histoire se déroule à travers ses lettres et cartes postales. Il n'y raconte rien d'extraordinaire mais, de détail en détail, le lecteur est plongé dans le voyage à la fois banal et très signifiant d'un petit suricate qui se cherche. Voici un livre qui permet de mettre en relief le principe que les idées ne doivent pas forcément être grandioses pour accrocher le lecteur, et que l'écriture d'une carte postale peut avoir autant d'importance et d'impact qu'un gros projet d'écriture.

- *Ça, c'est du hockey!*

  L'auteur, David Bouchard, raconte les vacances d'hiver d'un petit enfant. L'histoire se passe à la campagne et tout tourne autour d'une partie de hockey. On constate rapidement que l'auteur connaît fort bien son sujet, puisqu'il présente, sous forme de narration, d'innombrables éléments d'information. Peu importe ses connaissances sur le hockey, chaque lecteur peut y apprendre quelque chose de nouveau. En lisant ce livre aux élèves, on peut faire ressortir l'idée principale (le hockey extérieur à la campagne), les détails évocateurs et intéressants (la façon de former les équipes, les buts en blocs de neige, la balle qui remplace la rondelle) ainsi que la passion de l'auteur pour son sujet.

- *La reine de la récré*

  L'auteur, Alexis O'Neill, tisse son histoire autour de deux personnages, une grande fille qui terrorise tous les enfants dans la cour de récréation, et une petite fille discrète nouvellement arrivée à l'école, qui réussit à amadouer la grande méchante. L'idée principale de cet album, tout à fait familière pour les enfants, c'est la relation entre camarades de classe dans la cour d'école. Cette relation est mise en relief par la présentation de personnages très définis. En lisant ce livre aux élèves, on peut les amener à réaliser que les idées peuvent aussi émerger de personnages qui leur sont très familiers et qu'ils arriveront à dépeindre avec précision.

- *Un bon point pour Zoé*

  L'auteur, Peter H. Reynolds, relate l'histoire de la petite Zoé qui se sent incapable de produire le travail demandé par son enseignante d'art. Elle-même ne se trouve aucun talent artistique mais, par des interventions très discrètes, l'enseignante lui démontre que tout est possible. Il s'agit d'une situation authentique lorsqu'on pense au contexte scolaire. Quand on lit ce livre aux élèves, on leur montre qu'une idée peut surgir d'un problème familier ou d'une expérience vécue, comme celle de Zoé en regard de son sentiment d'incompétence en art.

Le tableau 1.1 donne les références complètes des petits bijoux présentés précédemment ainsi que celles d'autres petits bijoux.

Tableau 1.1 | Des textes pertinents pour aborder le trait

Titre	Auteur	Illustrateur	Éditeur	ISBN
Qu'est-ce que j'ai dans la tête ?	François David	Zaü	Flammarion-Père Castor, Paris, 2001	2081610450
ABC les mots	Collectif		Gauthier-Languereau, Paris, 2006	9782013911900
Chers Maman et Papa	Emily Gravett	Emily Gravett	Kaléidoscope, Paris, 2006	978-2877674935
Ça, c'est du hockey !	David Bouchard	Dean Griffiths	Les 400 coups, Montréal, 2004	2-89540-163-2
La reine de la récré	Alexis O'Neill	Laura Huliska-Beith	Scholastic, Toronto, 2003	0-439-97516-6
Un bon point pour Zoé	Peter H. Reynolds	Peter H. Reynolds	Milan Jeunesse, Toulouse, 2004	978274591586
Le 108e mouton	Ayano Imai	Ayano Imai	Gründ, Paris, 2006	2-7000-1477-4
Moi, je m'aime !	Karen Beaumont	David Catrow	Scholastic, Toronto, 2006	0-439-94156-3
Arrête tes bêtises, Louise !	Frieda Wishinsky	Marie-Louise Gay	Dominique et compagnie, Saint-Lambert, 2007	978-2-89512-627-0
Chester	Mélanie Watt	Mélanie Watt	Bayard Jeunesse, Montréal, 2008	978-0-545-99861-1
Moi, c'est moi !	Peter H. Reynolds	Peter H. Reynolds	Milan Jeunesse, Toulouse, 2005	2-89608-0210-X

Les activités pour explorer le trait

Activité 1.1 Le dé à idées

Avant de plonger dans l'écriture d'un texte, les élèves ont besoin d'entraînement pour trouver des idées et pour les raffiner. L'activité ci-dessous sert de tremplin aux travaux d'écriture.

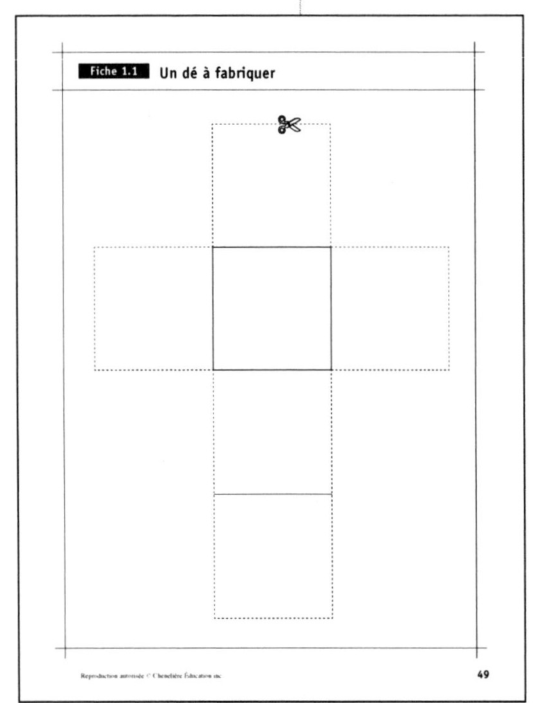

Les élèves doivent préparer un dé à idées à l'aide de la fiche 1.1 *Un dé à fabriquer*, à la page 49. Sur chacune des faces, ils doivent inscrire une idée pour laquelle ils seraient en mesure de donner au moins trois détails personnels et intéressants. Une fois que les dés sont prêts, les élèves forment des équipes. Chaque joueur a son dé. Chacun leur tour, les élèves jettent leur dé et doivent donner trois détails personnels et intéressants sur l'idée apparaissant sur la face supérieure du dé. Trois détails valables donnent trois points, deux détails valables, deux points, et ainsi de suite. Le premier joueur à obtenir 20 points remporte la partie. Si un élève tombe plus d'une fois sur la même face, c'est-à-dire la même idée, il doit trouver de nouveaux détails ou passer son tour.

Il est à noter qu'une fois que les élèves ont joué avec leur dé à quelques reprises, les dés à idées peuvent aussi avoir d'autres fonctions. Les élèves peuvent recourir aux idées figurant sur leur dé à l'occasion de projets d'écriture. Ils peuvent aussi emprunter un autre dé pour tenter d'explorer de nouvelles idées.

Enfin, il serait important de rappeler aux élèves que les idées à inscrire sur le dé peuvent avoir trait à la fois à un thème (comme dans *Ça, c'est du hockey!*), à un personnage (comme dans *La reine de la récré*) ou à un problème (comme dans *Un bon point pour Zoé*).

Activité 1.2 Les sens donnent du sens

Nos idées peuvent souvent être puisées à même nos expériences ou nos souvenirs. Nos sens nous permettent d'accéder à cette banque personnelle d'idées. L'activité ci-dessous aide les élèves à comprendre comment ils peuvent avoir recours à leurs sens pour trouver des idées.

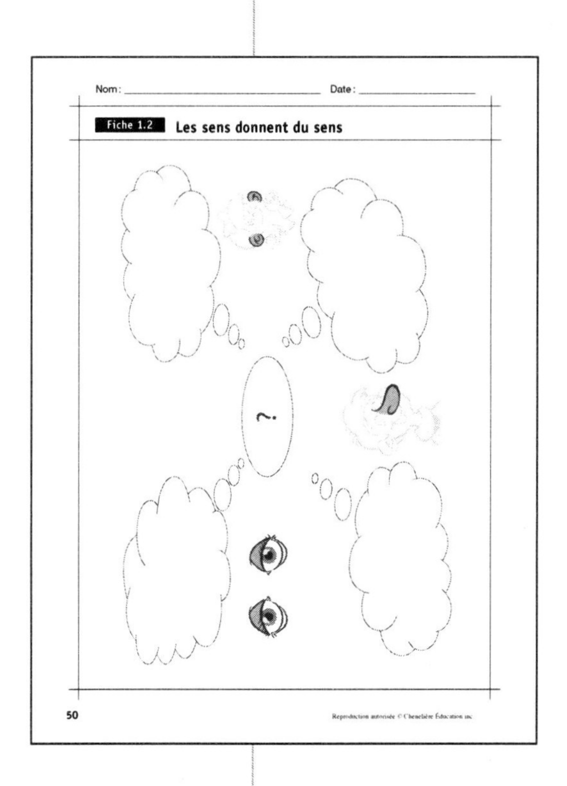

L'enseignant apporte en classe un sac en papier brun dans lequel est caché du talc (ou tout autre produit dont l'odeur est familière et qui évoquerait des souvenirs pour les élèves). Il demande à chacun de sentir ce qu'il y a dans le sac. Les élèves doivent ensuite réfléchir aux images et aux souvenirs évoqués par l'odeur. Il est important de préciser aux élèves qu'il ne s'agit pas de deviner ce qui est dans le sac, mais bien de se laisser guider par ses souvenirs et ses sens. Les élèves remplissent la fiche 1.2 *Les sens donnent du sens* (*voir* à la page 50) à l'aide de mots, de dessins ou de symboles. Enfin, une discussion en grand groupe permet de mettre en relief les différentes expériences évoquées par un même élément déclencheur. On réfléchit alors à toutes les histoires qui pourraient être racontées à partir de cet élément, en l'occurrence, du talc.

Activité 1.3 Les idées en un tour de piste

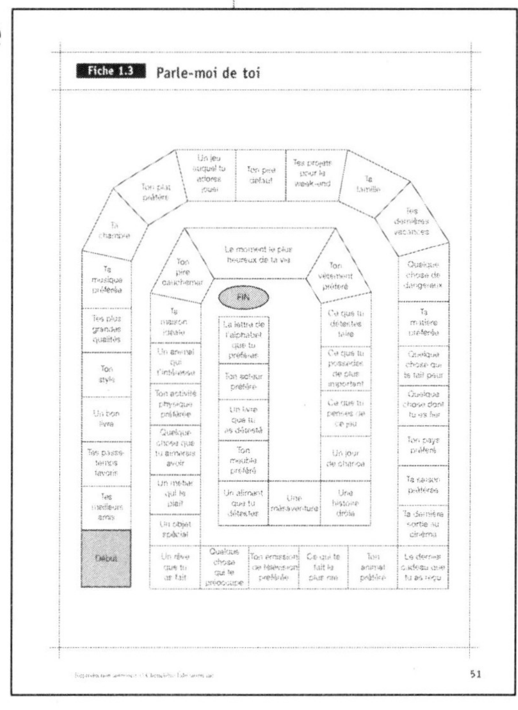

Les élèves ont tendance à chercher des sujets extraordinaires pour démarrer leur chasse aux idées, ce qui fait qu'ils risquent de rester coincés, sans résultat. Cette activité sert à faire parler les élèves de sujets connus tout à fait ordinaires dans le but de trouver des idées personnelles et intéressantes à partager, malgré le manque d'éclat des sujets proposés.

Pour jouer, les élèves doivent former des équipes de quatre ou cinq. Chaque équipe doit avoir un dé et chaque élève, un pion. On place le jeu *Parle-moi de toi* (*voir* la fiche 1.3 *Parle-moi de toi*, à la page 51) au centre. À tour de rôle, chaque joueur jette le dé et avance du nombre de cases indiqué sur le dé. Il place son pion à l'endroit désigné, lit à voix haute le sujet proposé, puis tente de trouver trois éléments d'information intéressants et personnels à communiquer à son équipe. S'il en est incapable, il doit retourner à la case où il se trouvait avant de lancer le dé. Le premier joueur qui arrive exactement à la case « Fin » remporte la partie. Si le compte n'est pas exact, l'élève doit avancer son pion jusqu'à la case « Fin », puis reculer pour compléter le compte.

Activité 1.4 La toile d'idées

Un simple mot peut évoquer une panoplie d'idées différentes pour chaque personne. L'activité « La toile d'idées » aide les élèves à découvrir les nombreuses idées suggérées par un même mot.

L'enseignant prépare un sac de mots connus des élèves. Ces mots devraient évoquer des images (par exemple, le mot « gâteau » est évocateur, tandis que le mot « alors » ne l'est pas du tout, sur ce plan). Les élèves sont placés en équipes de quatre. Chaque équipe reçoit la fiche 1.4 *La toile en étoile,* (*voir* à la page 52). L'enseignant tire un mot du sac au hasard et le lit à voix haute. Les équipes inscrivent ce mot au centre de l'étoile, sur la fiche, et ils ont quatre minutes pour écrire le plus de mots ou d'expressions liés tout autout. Au bout des quatre minutes, à l'aide de surligneurs de couleurs différentes, les équipes doivent regrouper, en catégories de leur choix, les mots qu'ils ont trouvés. Par exemple, « gâteau » pourrait avoir évoqué « bougies » et « 10 ans », qui seraient regroupés dans la catégorie « anniversaire », ou « farine » et « œufs », qui seraient regroupés dans la catégorie « ingrédients ». En grand groupe, les élèves présentent les toiles d'idées ainsi organisées pour en discuter.

Il est possible ensuite de démarrer un projet d'écriture sur la base d'idées générées à l'aide de cette activité.

Chapitre 2 L'ordre et le désordre : la structure du texte

« La structure du texte est la façon dont sont organisés les différents détails et les idées de ce texte. Comme le squelette d'un animal, elle assure la bonne tenue de l'ensemble. Il s'agit de la stratégie, du format et de l'ordre que l'auteur utilise pour rendre son information compréhensible et intéressante. Une structure forte donne une direction au texte et conduit habilement le lecteur d'un point à l'autre. » (Spandel, 2007.)

La présentation du trait

Le travail sur la structure du texte, c'est la période du grand ménage. Les élèves ont compris où et comment trouver leurs idées et, maintenant, ils doivent se poser certaines questions. Quels sont le sujet principal et l'intention d'écriture ? Que vont-ils garder, rejeter, réorganiser ? De quelle manière mettront-ils de l'ordre dans leur désordre ? Il leur faut trouver l'organisation qui permettra au lecteur de se rendre efficacement du début à la fin du texte, sans jamais s'égarer.

Les élèves sont souvent très attachés aux idées qu'ils ont pondues, certaines avec grande difficulté. Il faut donc procéder avec soin. Aucune idée n'est mauvaise. Certaines seront peut-être moins appropriées, voire de trop dans le contexte particulier de la tâche d'écriture. L'enseignant doit amener les élèves à réfléchir à leur intention de départ et à l'essentiel de leur idée. Lorsque vous vous installez à la cuisine pour entamer un projet culinaire, il ne s'agit pas d'insérer, dans votre recette, tous vos ingrédients préférés. Même si vous êtes un amateur incontesté de chocolat, vous ne serez peut-être pas enchanté de vous faire servir une crème de brocoli nappée d'un coulis au chocolat. Il faut savoir ce que vous comptez obtenir comme plat et sélectionner les ingrédients ayant le potentiel d'assurer la réussite de votre recette. Mais ce n'est pas tout. Si vous choisissez de préparer même un plat très simple, vous ne pouvez pas lancer les ingrédients pêle-mêle, aussi appropriés soient-ils, et espérer atteindre votre but. Prenez comme exemple le sandwich au fromage et à la tomate. Il faut, en principe, du pain, du fromage et une tomate. Si le but est de pouvoir manger le sandwich en question et que vous déposez d'abord la tomate, suivie du pain et ensuite du fromage, il sera bien difficile d'apprécier cette création. En fonction des outils et des ingrédients disponibles, il faut donc aussi déterminer la meilleure façon d'arriver au but, à savoir l'organisation qui permettra de mieux respecter l'intention de départ.

Par la structure du texte (la recette), nous entendons donc le choix des détails (les ingrédients) qui vont appuyer et définir les idées (le plat à cuisiner), ainsi que l'assemblage (les étapes), incluant une introduction et une conclusion appropriées.

Les petits bijoux qui permettent d'aborder le trait

- *Il faut une fleur*

  L'auteur, Gianni Rodari, présente un livre qui marque par son organisation et qui permet de jeter un premier regard sur la structure. En passant de la graine au fruit, à l'arbre puis à une table, l'auteur met en relief la répétition intentionnelle; il est possible de parler explicitement de structure avec les élèves et de les amener ensuite à produire un texte imitant la structure simple et précise de cet auteur.

- *Pourvu qu'il pleuve!*

  L'auteure, Marie-Andrée Boucher Mativat, raconte l'histoire d'une petite fille comme tant d'autres. Celle-ci se rend avec sa maman acheter des souliers neufs. Au magasin, la maman choisit une solide paire de mocassins bruns, mais la petite est follement amoureuse de souliers colorés et tellement plus attrayants à ses yeux. Elle les essaie et, avec la plus grande des déterminations, prépare un mauvais coup pour obliger sa maman à lui acheter les souliers tant convoités. Par cette histoire, l'auteure met en évidence l'importance du déroulement, de la séquence des événements et de l'ordre dans lequel sont présentés les éléments du texte.

- *Cours, cours, Nicolas!*

  L'auteur, Gilles Tibo, relate le quotidien mouvementé, mais certainement très familier, du petit Nicolas, que ses parents ont inscrit à d'innombrables cours après l'école. Le pauvre enfant est tellement épuisé qu'il finit par tomber malade. Désolés, assis à son chevet, ses parents lui expliquent qu'ils ont une merveilleuse solution au problème. Ils proposent qu'à partir de ce jour ce soient les professeurs des activités parascolaires qui viennent à la maison pour lui donner tous ses cours. La conclusion tient sur une seule page, la dernière. Il ne s'agit que de quelques mots qui surprennent et font du texte une histoire plutôt qu'une liste de toutes les activités de Nicolas. C'est une merveilleuse conclusion à présenter aux élèves qui ont souvent du mal à comprendre le rôle de la conclusion et la façon d'en bâtir une.

- *Justine et la pierre de feu*

  L'auteur, Marcus Pfister, raconte l'histoire d'une souris habitant en communauté avec d'autres souris sur une île rocheuse aux ressources limitées. Notre héroïne découvre une pierre précieuse et fait des jaloux. Subitement, toutes les souris veulent une pierre de feu, mais le sage du village souligne l'importance de ne pas dépouiller la Terre de ses ressources naturelles. L'auteur offre une occasion en or de parler de conclusion puisque, aux trois quarts du livre, deux chemins s'offrent au lecteur : une fin selon laquelle l'histoire finit bien, ou une fin selon laquelle l'histoire finit mal. Les élèves peuvent lire les deux, choisir celle qui leur plaît le plus et dire pourquoi. Ainsi, une discussion sur les caractéristiques d'une bonne conclusion peut s'ensuivre.

Le tableau 2.1 donne les références complètes des petits bijoux présentés précédemment ainsi que celles d'autres petits bijoux.

Tableau 2.1 | Des textes pertinents pour aborder le trait

Titre	Auteur	Illustrateur	Éditeur	ISBN
Il faut une fleur	Gianni Rodari	Sylvia Bonanni	Rue du Monde, Voisin-le-Bretonneux, 2007	978-2-915569-93-3
Pourvu qu'il pleuve !	Marie-*Andrée* Boucher-Mativat	Bruno St-Aubin	Les 400 coups, Montréal, 2001	2-89540-019-9
Cours, cours, Nicolas !	Gilles Tibo	Bruno St-Aubin	Scholastic, Toronto, 2006	0-439-95384-7
Justine et la pierre de feu	Marcus Pfister	Marcus Pfister	NordSud, Paris, 2003	9-783314-216336
Un grand-papa en or	Marie-France Hébert	Janice Nadeau	Dominique et *compagnie*, Saint-Lambert, 2005	2-9512-402-7
Les loups	Emily Gravett	Emily Gravett	Kaléidoscope, Paris, 2005	978-2-87767-470-6
Le Zloukch	Dominique Demers	Fanny	Les 400 coups, Montréal, 2006	2-89540-137-3
Cassandre	Claude K. Dubois	Claude K. Dubois	Les 400 coups, Montréal, 2007	2895402876
Comment faire enrager sa maîtresse	Sylvie de Mathuisieulx	Sébastien Diologent	Petit à petit, Darnétal, 2006	2-84949-047-4
Le petit Brillant	Simon James	Simon James	Imagine, Montréal, 2004	2-89608-009-0
Sami et sa nouvelle coupe de cheveux	Fatima Sharafeddine	Annick Masson	Mijade, Namur, 2006	9782871425595

Les activités pour explorer le trait

Activité 2.1 Le jeu du miroir

Il vous serait probablement très difficile de vous lancer immédiatement dans le travail sur la structure d'un texte donné. La plupart de vos élèves ne sauraient pas par où commencer. Voici plutôt une activité qui permet à tout le monde de se faire une idée sur l'importance de la structure.

Les élèves sont assis deux par deux (élève A et élève B). L'un des élèves peut être assis à son pupitre (élève A), et l'autre par terre (l'élève B), de manière à ce qu'aucun des deux ne puisse voir le travail de l'autre.

L'enseignant demande ā l'élève A de dessiner, sur une feuille blanche, comme il le veut et à l'endroit qui lui plaît, les formes suivantes :

- Un grand triangle
- Deux petits carrés
- Un cercle
- Un cœur
- Un grand rectangle
- Un petit rectangle

Une fois son « dessin » terminé, l'élève A doit le décrire le plus précisément possible à l'élève B pour permettre à ce dernier de reproduire le même « dessin ». L'élève A ne doit en aucun cas montrer son « dessin » à l'élève B, et l'élève B ne doit en aucun cas montrer sa reproduction à l'élève A avant la fin de la description. De plus, l'élève B ne doit jamais poser de questions pour clarifier les énoncés de l'élève A, qui est le seul responsable de la précision de sa description. Lorsque l'élève A a terminé de donner ses indications à l'élève B, les deux comparent leurs « dessins » pour voir s'ils sont véritablement identiques. Les élèves A et B peuvent ensuite changer de rôle pour que chacun puisse s'exercer à son tour.

De retour en grand groupe, l'enseignant demande aux élèves d'expliquer ce qui les a aidés à réussir la tâche et ce qui a nui à la bonne reproduction du « dessin ». L'enseignant peut faire ressortir les éléments suivants : l'ordre des indications, l'enchaînement des directives, l'importance des éléments d'information fournis pour arriver au but, et ainsi de suite.

Cette activité pourrait aussi être faite avec des cartes routières. Dans ce cas, l'élève A pourrait donner à l'élève B les indications pour se rendre d'un point à un autre.

Activité 2.2 La résolution collective

Le besoin de structure existe à travers toutes les sphères et dans diverses situations. Vous pouvez donc passer par les mathématiques pour travailler la notion de structure. Plus vous aurez exploré la structure dans différents contextes, plus les élèves seront habiles à gérer et à améliorer cet aspect de leurs projets d'écriture.

Les élèves sont assis en équipes de quatre. Chaque équipe reçoit un problème mathématique à résoudre (*voir* la fiche 2.2 *Des exemples de problèmes*, à la page 53). Au début, aucun élève n'a le droit d'écrire. Ensemble, les élèves doivent discuter du problème pour voir comment il serait possible de le résoudre. Il est très important qu'à la fin de la courte discussion chaque élève ait une bonne idée de la démarche devant le mener à la solution.

Ensuite, c'est la période du grand silence. Plus aucun élève n'a le droit de parler. Chacun leur tour, les élèves ont droit au crayon et au papier collectifs pour inscrire une étape de la résolution. Ils ne peuvent pas poser de questions à leurs coéquipiers ou aider un coéquipier qui éprouverait des difficultés.

Enfin, de retour en grand groupe, l'enseignant demande aux élèves de déterminer ce qui leur a permis d'être efficaces et de résoudre le problème, ainsi que ce qui a constitué une entrave à sa bonne résolution. Avaient-ils structuré efficacement leur plan d'attaque pour que chaque coéquipier puisse fonctionner de façon autonome au bon moment ?

Nom : ______________ Date : ______________

Fiche 2.2 Des exemples de problèmes

Problème 1 : Les sandwichs de Sébastien

Pour le pique-nique de sa classe, Sébastien devait amener des sandwichs pour tous les élèves. La maman de Sébastien a préparé 67 sandwichs dans trois sacs : le sac A, le sac B et le sac C.

Sébastien dit à Gabrielle :
– Si je prenais deux fois le nombre de sandwichs contenus dans le sac A, puis tous les sandwichs qu'il y a dans le sac B, j'aurais C sandwichs.

Gabrielle reprend :
– Si je prenais les sandwichs du sac A, puis deux fois les sandwichs du sac B, j'aurais (C + 1) sandwichs.

Combien y a-t-il de sandwichs dans le sac C ?

 53

Activité 2.3 La princesse perdue

Une fois que vous avez travaillé de différentes manières la notion de structure, il est temps de mettre en pratique les connaissances et stratégies dans un véritable contexte d'écriture.

Les élèves sont assis en équipes de quatre. Ils devront rédiger collectivement une courte histoire dont le titre est « La princesse perdue ».

Chacun leur tour, les membres de l'équipe ont trente secondes pour écrire secrètement une phrase sur la feuille fournie. Cette phrase doit évidemment avoir un rapport avec le titre.

Une fois la phrase écrite, l'élève plie le papier pour cacher ce qui est écrit et passe la feuille au prochain membre de son équipe, jusqu'à ce que tous aient eu deux tours.

Enfin, les membres de l'équipe déplient le papier, y lisent les phrases inscrites et réorganisent le texte en ajoutant et en enlevant des éléments de façon efficace pour qu'il soit continu, bien structuré et cohérent.

Chapitre 3 Les mots pour le dire, les mots pour l'écrire : le choix des mots

« Le choix des mots correspond au langage utilisé pour exprimer ses idées. Les mots efficaces sont à la fois clairs et évocateurs. Plus le mot est précis, plus le sens est clair. Des mots bien choisis amènent le lecteur à voir, entendre, sentir, goûter, toucher, en un mot, à vivre le monde de l'auteur. » (Spandel, 2005b.)

La présentation du trait

Dans le monde littéraire ainsi que dans celui de l'éducation, le mot « texte » fait référence à ce qui est lu, vu et entendu. Une image, un film, une musique, tous sont des textes au même titre que l'écrit ; tous tentent de transmettre un message à un public donné. Mais puisqu'il s'agit ici d'écriture, impossible de faire autrement que de passer par les mots. En tenant compte du fait que la langue française comprend plus de 140 000 mots, le défi de bien choisir ceux que l'on veut retenir dans une situation d'écriture précise est immense.

Le bagage initial des élèves est très hétérogène. À son arrivée à l'école, chaque élève transporte sa propre valise langagière. Certains élèves, par exemple ceux dont le français n'est pas la langue première, peuvent avoir une valise presque vide, ou une valise remplie de mots « étrangers ». Certains élèves tout à fait francophones n'ont peut-être pas eu la chance d'être exposés à beaucoup de mots à la maison, et ils arrivent avec une valise qu'ils ne savent pas remplir. D'autres encore se présentent en classe avec un enthousiasme inégalé, leur valise débordant de mots, recueillis certes avec passion, mais indisciplinés et sur lesquels ils n'ont aucun contrôle.

Le travail de l'enseignant prend donc plusieurs dimensions. Il lui faut exposer ses élèves à un maximum de mots riches et variés, tout en leur signifiant que les mots précis ne sont pas forcément les plus complexes, les plus recherchés. Aussi, comme l'indique la fameuse citation de Boileau : « Ce qui se conçoit bien s'énonce clairement, et les mots pour le dire nous viennent aisément», l'enseignant doit amener les élèves à préciser leur pensée, sans quoi tous les mots du monde ne sauraient les aider. Pour ce faire, l'intention d'écriture et l'auditoire visé doivent demeurer au premier plan.

Quelle est l'importance réelle des mots ? Ce sont eux qui permettent au lecteur de plonger dans le texte, de visualiser ce que l'auteur a couché sur papier et d'y croire sincèrement. C'est en ayant un contact perpétuel avec les mots, en analysant les mots des autres, en se risquant à essayer de nouveaux mots, en redécouvrant des mots connus et en jouant avec les mots, à l'oral comme à l'écrit, que nous développons notre capacité à bien choisir les mots qu'il faut.

Les petits bijoux qui permettent d'aborder le trait

- *Le livre noir des couleurs*

  L'auteure, Menena Cottin, choisit les mots pour décrire les couleurs à quelqu'un qui ne voit pas dans ce livre unique traitant de la cécité. Le lecteur entend, goûte, ressent les couleurs, qui deviennent multidimensionnelles, sensorielles, liées à la vie et non seulement aux pages sur lesquelles elles se trouvent. Voilà le tremplin idéal pour pouvoir ensuite choisir les mots précis et imagés qui décrivent des odeurs, des goûts, etc.

- *Les bisous*

  L'auteure, Angèle Delaunois, bâtit toute une histoire autour d'un seul mot : le bisou. Selon la personne qui décide d'en offrir, le bisou se nomme un « baiser », un « câlin », une « caresse »... mais, peu importe son nom, chaque bisou est une marque d'affection que l'héroïne accumule précieusement. Ce livre présente une occasion hors pair d'aborder les synonymes et leur utilité.

- *La petite rapporteuse de mots*

  Les auteures, Danielle Simard et Geneviève Côté, traitent de la relation entre une petite fille et sa grand-mère qui perd la mémoire. La fillette s'inquiète de voir sa grand-mère perdre ses mots, mais elle croit enfin comprendre qu'en réalité celle-ci lui donne les mots. Elle aurait donc la grande chance de recevoir en cadeau les mots de sa grand-mère. Il s'agit d'un livre qui ouvre la porte à la réflexion sur la valeur des mots.

- *Le m de maman*

  L'auteure, Catherine Moreau, raconte l'histoire d'un petit garçon qui, comme beaucoup d'autres, passe ses journées à la garderie pendant que sa maman travaille. Pour s'assurer que sa maman n'oublie pas de revenir le chercher à la fin de la journée, l'enfant conserve le « m » de « maman ». Il joue avec le « m » jusqu'au retour de sa maman. Tout au long de cette histoire toute simple, on remarque une série de mots qui commencent par un « m ». Voilà un livre très pratique pour parler des mots qui partagent un même son.

Le tableau 3.1 donne les références complètes des petits bijoux présentés précédemment ainsi que celles d'autres petits bijoux.

Tableau 3.1 | **Des textes pertinents pour aborder le trait**

Titre	Auteur	Illustrateur	Éditeur	ISBN
Le livre noir des couleurs	Menena Cottin	Rosana Faria	Rue du Monde, Voisin-le-Bretonneux, 2007	978-2355040023
Les bisous	Angèle Delaunois	Fanny	Les 400 coups, Montréal, 2004	2-89540-018-0
La petite rapporteuse de mots	Danielle Simard	Geneviève Côté	Les 400 coups, Montréal, 2007	978-2-89540-148-3
Le m de maman	Catherine Moreau	Élise Mansot	Élan vert, Villeurbanne, 2006	9-7828445-50903
Colin et l'ombre volée	Leigh Hodgkinson	Leigh Hodgkinson	La courte échelle, Montréal, 2008	9782896510917
Tous les soirs du monde	Dominique Demers	Nicolas Debon	Imagine, Montréal, 2005	2-89608-017-1
La plus méchante maman	Danielle Simard Bruno St-Aubin	Bruno St-Aubin	Imagine, Montréal, 2005	9-782896-08021-2
La fée des orteils	Carole Tremblay	Céline Malépart	Dominique et compagnie, Saint-Lambert, 2006	2-89512-526-0
Des mots plein les poches	Colette Jacob	Natalie Fortier	Gautier-Languereau, Paris, 2004	2-01-392925-0
L'écureuil et la lune	Sebastian Meschenmoser	Sebastian Meschenmoser	Minedition, Paris, 2008	978-2-354-13030-5
Le fils du tailleur de pierre	Moon-Hee Kwon	Moon-Hee Kwon	Didier Jeunesse, Paris, 2008	9782278059621
Billy se bile	Anthony Browne	Anthony Browne	Kaléidoscope, Paris, 2006	978-2877674928
Ferme les yeux	Victoria Pérez-Escrivà	Claudia Ranucci	Syros Jeunesse, Paris, 2009	2748507770
Un merveilleux petit rien	Phoebe Gilman	Phoebe Gilman	Scholastic, Toronto, 2005	978-0-439-93547-0

Les activités pour explorer le trait

Pour bien trouver les mots pour le dire... les mots pour l'écrire, les élèves doivent voir des mots, lire des mots, réfléchir aux mots et manipuler des mots. Les activités suivantes permettent aux élèves de le faire dans un contexte ludique et informel qui les encourage à prendre des risques calculés dans leur utilisation des mots.

Activité 3.1 Les mots pour convaincre

Cette activité se fait en équipe. L'enseignant choisit à l'avance des mots que les élèves ne connaissent sans doute pas et qu'ils trouveront intéressants par la suite, soit pour la façon dont ils se prononcent, soit pour leur sens. (Vous cherchez des exemples ? Il y a « patchouli », « clafoutis », « clapotis », « gyrophare ».)

L'enseignant imprime les mots, les découpe et les place au centre de la table. L'équipe choisit un mot parmi ces derniers. Chaque membre de l'équipe écrit ensuite une phrase en mettant le mot choisi en contexte (selon la définition imaginée).

Chacun vote ensuite pour la phrase dans laquelle le mot aurait été le mieux utilisé.

L'équipe vérifie enfin dans le dictionnaire pour connaître la vraie définition du mot choisi.

Activité 3.2 La mystérieuse valise

L'enseignant remplit une valise de vêtements et d'articles de toilette (brosse à dents, parfum, shampoing, etc.) et l'apporte en classe. Il explique aux élèves que cette valise a été trouvée à l'aéroport, abandonnée. Afin de rendre la valise à son propriétaire, les élèves devront décrire le contenu de celle-ci le plus justement possible pour pouvoir rédiger une annonce à placer dans le journal.

L'enseignant ouvre la valise et présente le contenu, article par article. Les élèves se placent ensuite en équipes de deux. Chaque équipe reçoit un article à décrire en donnant un maximum de détails (couleur, usure, forme, odeur, taille, etc.).

Les élèves dessinent l'article à côté de la description.

Les équipes présentent leur article et lisent leur description. Les élèves de la classe tentent de trouver à qui pourrait appartenir cet article. L'enseignant note (au tableau, sur rétroprojecteur ou sur tout autre endroit qui facilitera la mise en commun finale) les caractéristiques des propriétaires potentiels.

À la fin, le groupe-classe tente de dresser le portrait du propriétaire de la valise pour placer un avis de recherche dans un journal local.

Activité 3.3 Les mots pour le dire

Cette activité se fait en équipe. L'enseignant choisit au préalable un album qui n'a pas encore été lu à la classe et sélectionne de 15 à 40 mots parmi les plus marquants de l'histoire. Le nombre de mots dépend de la longueur du livre, du niveau d'habileté des apprenants, du degré de difficulté du vocabulaire, etc. L'enseignant imprime et découpe les mots, et les place dans des enveloppes (une enveloppe par équipe). Chaque enveloppe contient une série complète de mots importants. (À titre d'exemple, la fiche 3.3 *Des mots d'albums* propose des mots pour trois livres: *Un merveilleux petit rien, Billy se bile* et *L'écureuil et la lune; voir* à la page 55.)

Chaque équipe doit classer les mots en trois ou quatre catégories (trois ou quatre colonnes) qui doivent être déterminées par l'équipe (aucune directive n'est donnée quant au genre des catégories). Les membres de l'équipe donnent ensuite un titre à chacune des colonnes. Chaque équipe explique comment elle est arrivée à ce classement et au titre en particulier pour chacune des colonnes.

Puis, à l'aide des mots et de leur organisation, l'équipe écrit ses prédictions sur l'histoire qui sera lue.

Ensuite, l'enseignant fait la lecture de l'album à voix haute.

Chaque équipe doit comparer ses prédictions avec l'histoire telle qu'elle a été comprise et arriver à un consensus sur les trois mots les plus importants parmi ceux présentés au départ.

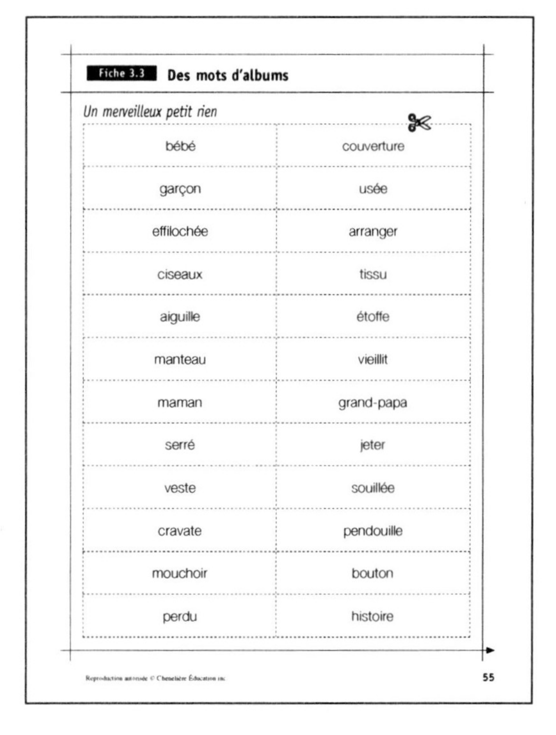

Fiche 3.3 **Des mots d'albums**

Un merveilleux petit rien

bébé	couverture
garçon	usée
effilochée	arranger
ciseaux	tissu
aiguille	étoffe
manteau	vieillit
maman	grand-papa
serré	jeter
veste	souillée
cravate	pendouille
mouchoir	bouton
perdu	histoire

 55

Chapitre 4 Les mots sont en harmonie, la phrase joue une symphonie : la fluidité des phrases

« La fluidité des phrases vient du rythme et du déroulement du texte. [...] un texte fluide invite à une lecture énergique et expressive. Les phrases de structure et de longueur variées ajoutent significativement de la fluidité et retiennent l'attention du lecteur. » (Spandel, 2005b.)

La présentation du trait

Les idées sont trouvées et les mots sont couchés sur papier ; mais quelle musique se dégage des phrases ? Les mots semblent en harmonie, mais les phrases jouent-elles une symphonie ? Le rythme, la cadence naturelle et la variété des phrases influent sur la lecture au point de pouvoir transformer un texte simple en une poésie musicale et attirante ou, au contraire, de convertir un texte inspiré en une lecture pénible et soporifique. La fluidité est amenée principalement par des débuts de phrases variés, différentes longueurs de phrases, la diversité dans les types de phrases (interrogative, déclarative, exclamative) et l'utilisation de mots de transition.

Pourquoi nous sentons-nous autant insatisfaits lorsqu'un élève compose un texte semblable au suivant : « J'aime ma maman. J'aime mon papa. J'aime ma maison. J'aime mon chien. » ? Les phrases sont bien construites et les mots sont justes. Cependant, chaque phrase répète la même structure, contient le même nombre de mots et débute par la même expression. Le défaut relève donc de la fluidité ; la lecture de ce type de phrases, en particulier à voix haute, devient des plus fastidieuses.

Lorsqu'il s'agit de fluidité, l'écriture d'un texte peut se comparer à la composition musicale. La réussite d'une composition musicale ne tient pas simplement au choix des notes (« do », « ré », « mi »). Elle dépend aussi, entre autres, de l'enchaînement des notes les unes à la suite des autres et de la longueur de chaque note (noire, croche, double croche). Lorsqu'on la joue, cette composition doit transmettre efficacement l'intention originale (paraît-elle triste alors que le compositeur la voulait enjouée ?). L'élève qui a écrit : « J'aime ma maman. J'aime mon papa. J'aime ma maison. J'aime mon chien » a peut-être bien choisi ses « notes » (mots), mais il n'a pas tenu compte de leur agencement, de leur vigueur, de leur rythme. C'est comme s'il jouait sans cesse les mêmes trois notes, selon une durée égale, sans aucune modulation.

Parfois plus abstraits pour les élèves, les éléments qui permettent à une phrase d'être fluide doivent être soulignés encore et encore dans des lectures de divers textes authentiques provenant aussi bien d'écrivains professionnels que des élèves eux-mêmes. En effet, la fluidité des phrases se développe davantage à l'oreille, et elle se mesure à la lecture orale.

Les petits bijoux qui permettent d'aborder le trait

- *Il neige*

  L'auteur, Uri Shulevitz, raconte l'histoire très simple d'un petit garçon persuadé qu'il neige alors que tous ceux qu'il rencontre tentent de le convaincre du contraire. Uri Shulevitz met en relief tous les aspects qui permettent aux phrases de danser sur la page. La longueur des phrases, l'utilisation du dialogue et des mots de transition, les débuts de phrases variés, tout fait en sorte que les phrases sont vivantes et agréables à lire. Comme il n'y a pas énormément de texte, le livre est facile à présenter aux élèves et à analyser avec eux, qu'ils soient petits ou grands.

- *Perdu ? Retrouvé !*

  L'auteur, Oliver Jeffers, raconte une touchante histoire d'amitié entre un petit garçon et un pingouin. Au début, lorsqu'il trouve le pingouin seul et l'air triste, le garçon s'imagine que c'est parce que le pingouin est perdu, loin de chez lui. Sans savoir où se trouve la maison du pingouin, le garçon tente tout de même de le ramener à bon port. Au fil du temps, il se rend compte que ce qui manque au pingouin, ce n'est pas forcément sa maison, et que l'on peut aussi souffrir de solitude par manque d'amitié. C'est cette amitié que le pingouin et le garçon peuvent facilement s'offrir l'un à l'autre. Ce qui est intéressant par rapport à la fluidité des phrases, c'est qu'ici l'auteur joue judicieusement avec la répétition de la structure pour donner du rythme au texte. Ce livre permet donc de souligner la différence entre la répétition qui nuit à la fluidité et la répétition voulue, choisie consciemment pour rendre le texte dynamique.

- *Surtout, n'ouvrez pas ce livre !*

  L'auteure, Michaela Muntean, offre un livre qui pourrait servir de petit bijou pour présenter plusieurs des traits. Dès la page couverture, on surprend un auteur en plein processus d'écriture. Panne d'idées, difficulté à assembler les mots, etc. Il ne s'agit pas ici d'un conte de fées où tout s'écrit sans accrocs. Par ailleurs, le lecteur fait partie du processus, et une interaction constante entre l'auteur et le lecteur permet une prise de conscience par rapport aux dessous du travail d'écriture. En ce qui concerne la fluidité, la variété dans les types de phrases (interrogative, exclamative, déclarative) ainsi que l'utilisation de divers temps de verbes, dont l'impératif, font de ce texte une œuvre énergique et animée.

- *La formidable école castête*

  S'inspirant d'un manuscrit du Dr Seuss, l'auteur, Jack Prelutsky, a composé un texte dans lequel les phrases dansent sous la rime et l'utilisation poétique de diverses tournures. Par cette histoire d'une école unique, d'enseignants extraordinaires et d'élèves qui apprennent comment apprendre, il est facile de mettre en relief la gamme de possibilités qui s'ouvrent à ceux qui savent bien manipuler les phrases.

Le tableau 4.1 donne les références complètes des petits bijoux présentés précédemment ainsi que celles d'autres petits bijoux.

Tableau 4.1 | Des textes pertinents pour aborder le trait

Titre	Auteur	Illustrateur	Éditeur	ISBN
Il neige	Uri Shulevitz	Uri Shulevitz	L'école des loisirs, Paris, 2000	2-87767-248-2
Perdu ? Retrouvé !	Oliver Jeffers	Olivier Jeffers	Kaléidoscope, Paris, 2005	2-87767-463-0
Surtout, n'ouvrez pas ce livre !	Michaela Muntean	Pascal Lemaître	Milan Jeunesse, Toulouse, 2006	2-7459-2026-X
La formidable école castête	Jack Prelutsky	Lane Smith	Seuil Jeunesse, Paris, 2002	2-02-035958-8
Guili Lapin	Mo Willems	Mo Willems	Kaléidoscope, Paris, 2007	978287767523-9
Petite Beauté	Anthony Browne	Anthony Browne	Kaléidoscope, Paris, 2008	978287767567-3
Les bobos des animaux	Gilles Tibo	Sylvain Tremblay	Dominique et compagnie, Saint-Lambert, 2005	2-89512-415-9
Raconte-moi la mer	Marie-Danielle Croteau	Normand Cousineau	Dominique et compagnie, Saint-Lambert, 2004	2-89512-377-2
Ma première grande histoire de... loup	Raphaële Glaux	Pascal Vilcollet	Fleurus jeunesse, Paris, 2007	978221504644-8
La promesse	Jeannes Willis	Tony Ross	Gallimard Jeunesse, Paris, 2003	2070511812

Les activités pour explorer le trait

Puisque la fluidité repose notamment sur la capacité de l'auteur à manier les débuts de phrases, à diversifier la longueur et la variété des phrases et à se servir adroitement des mots de transition, les activités ci-dessous sont centrées sur le développement de ces aspects.

Il est à noter que la lecture à voix haute est essentielle, non seulement celle faite par l'enseignant, mais aussi celle effectuée par chacun des élèves. C'est le moyen le plus efficace pour reconnaître la fluidité. Les élèves doivent donc devenir d'habiles lecteurs oraux pour bien manipuler la fluidité de leurs propres écrits.

Activité 4.1 Jouer aux domi-mots

Cette activité se fait en équipes de quatre ou cinq, mais chaque élève doit l'amorcer individuellement avec sa feuille de papier. L'enseignant lance le bal en proposant aux élèves une phrase de base que chacun doit noter. Par exemple: « Le train avançait dans la nuit. » Chaque élève continue en écrivant sur sa feuille une deuxième phrase de son choix, qui doit débuter par le dernier mot de la phrase donnée précédemment. Pour poursuivre avec l'exemple, la phrase pourrait être: « **Nuit** et jour, les passagers dormaient. » Lorsque la deuxième phrase est écrite, chaque élève passe sa feuille au voisin (dans le sens des aiguilles d'une montre), et celui-ci doit rédiger la prochaine phrase qui débutera encore par le dernier mot de la phrase précédente. Selon l'exemple, cette troisième phrase pourrait ressembler à ceci: « **Dormaient**-ils vraiment, ou avaient-ils tous très peur d'ouvrir les yeux? » On poursuit ainsi l'activité jusqu'à ce que tous les élèves de l'équipe aient rédigé au moins une phrase sur chaque feuille. Ensuite, chaque élève lit son texte à voix haute, et l'équipe discute des façons d'améliorer la fluidité. Cette activité met particulièrement en relief la possibilité de diversifier les débuts de phrases. Elle permet également aux élèves de travailler tranquillement la complexité de leurs phrases.

Activité 4.2 La phrase accordéon

Les élèves sont placés en équipes de trois ou quatre. Chaque équipe est assise autour d'une même table au centre de laquelle on dépose une phrase. On utilise la même phrase pour toutes les équipes, par exemple: « Le papillon vole. » Tous les mots de la phrase ainsi que le point final sont inscrits sur des morceaux de papier distincts: [Le] [papillon] [vole] [.]

Chaque élève reçoit deux morceaux de papier vierges. On détermine l'ordre des joueurs selon l'ordre alphabétique des prénoms. En se servant d'un de ses deux morceaux de papier vierges, le premier élève doit ajouter un mot (qui peut être accompagné d'un déterminant ou d'une préposition, le cas échéant) à la phrase. Par exemple: [Le] [papillon] [**bleu**] [vole] [.]

Puis, c'est au tour du prochain membre de l'équipe: [Le] [papillon] [bleu] [vole] [**vers le sud**] [.]

Et au suivant: [**L'été,**] [le] [papillon] [bleu] [vole] [vers le sud] [.]

On procède ainsi jusqu'à ce que chacun ait eu ses deux tours. On peut alors faire le tour des équipes pour voir comment une même phrase de base peut donner naissance à une multitude de phrases plus longues, plus descriptives ou plus complexes.

Activité 4.3 Lance et « conte »

Pour cette activité, il faut se munir d'un dé. L'enseignant regroupe les élèves en équipes de trois ou quatre. Chaque équipe doit trouver un sujet pour la rédaction d'un texte. L'élève dont la date d'anniversaire est la plus proche de la date actuelle lance le dé en premier. L'équipe doit écrire une phrase comprenant le nombre exact de mots représenté par les points sur le dé. Par exemple, une équipe a choisi le sujet de la neige. Un élève de cette équipe lance le dé et obtient un « cinq », ce qui veut dire que la phrase doit inclure exactement cinq mots, par exemple : « La neige fondait si rapidement. » Le prochain élève jette le dé à son tour, et la rédaction se poursuit avec une nouvelle phrase liée à la première, puisqu'il s'agit d'un texte continu sur un même sujet. Chaque élève doit pouvoir lancer le dé au moins deux fois. Puis, l'équipe est invitée à lire à voix haute ce qui a été écrit. Les élèves doivent ensuite insérer des mots de transition (notions qui auront été travaillées au préalable) et s'assurer que les débuts et les fins de phrases présentent un certain degré de variation, avant de relire leur texte au reste de la classe. L'enseignant et les élèves discutent de chaque texte pour souligner les aspects de la fluidité qui sont bien réussis.

Activité 4.4 Des faits en 3-D

Individuellement ou en équipe (au choix de l'enseignant), les élèves doivent choisir un sujet d'intérêt (un sport, une musique, un lieu, un film, etc.) sur lequel ils accumuleront des faits. Ensuite, ils devront écrire trois textes comprenant ces mêmes faits. Le premier texte sera un article pour le journal local, le second, un dialogue pour un film, et le troisième, une publicité (ce ne sont que des exemples ; ils pourraient aussi écrire un poème, la première page d'un roman, etc.). Les textes doivent tous être lus à voix haute pour analyser la fluidité des phrases. Il est intéressant de comparer les différents textes sur un même sujet pour voir comment le type de texte influe sur la fluidité des phrases, et aussi comment la fluidité des phrases ajoute à la vraisemblance d'un type de texte.

Chapitre 5 J'écris... m'entends-tu ? : la voix

« La voix d'un texte, c'est l'empreinte de son auteur. Les idées correspondent à ce que veut dire l'auteur, et la voix, à la manière dont il le dit. Chaque auteur possède une voix distincte qui s'affirme à mesure qu'il rédige. La voix change aussi selon l'intention d'écriture. Elle est différente selon qu'on rédige une lettre ouverte, un article pour la une du journal, un roman policier ou un poème. » (Spandel, 2007.)

La présentation du trait

La voix d'un auteur est ce qu'il nous reste une fois la lecture du texte terminée. Que le texte soit drôle, triste, dérangeant ou provocateur, une voix authentique, crédible et bien adaptée à l'intention permet d'en garder les traces au-delà de la lecture, non pas sur le plan intellectuel, mais bien sur le plan affectif. La voix, c'est l'empreinte digitale que l'auteur laisse discrètement dans les mots, les phrases, les idées et la structure. Lorsque nous avons aimé un auteur et que nous cherchons à lire d'autres de ses créations, c'est en fait que nous avons été marqués par sa voix et que nous voulons la réentendre.

Tout comme la voix parlée, la voix écrite existe en chaque personne dès sa naissance, attendant d'être développée. Dans la même veine, chaque individu fait évoluer sa voix en restant fidèle à lui-même. Nous ne pouvons pas décider soudainement d'adopter une voix très aiguë pour le reste de nos jours si notre voix naturelle est grave. Par contre, nous pouvons emprunter une voix aiguë pendant un instant, si cela permet d'incarner un rôle particulier ou convient à une intention précise. De plus, deux personnes – chacune ayant sa propre voix – peuvent adopter une voix « fâchée » si le contexte l'exige mais, malgré l'intention commune, les deux personnes et leur voix resteront bien distinctes.

Pour que les élèves comprennent et puissent travailler leur propre voix, il faut qu'ils aient été exposés à une multitude de voix, à une variété d'auteurs. La voix est un trait subtil que l'on peut uniquement mettre en relief à travers des exemples réels de voix fortes et distinctes. Il est à noter que la voix s'exhibe par la sélection des idées, le choix des mots, la fluidité des phrases, la structure du texte et l'utilisation des conventions linguistiques. Elle est donc étroitement liée à l'emploi judicieux de tous les traits d'écriture.

D'autre part, pour que le développement de la voix progresse, il faut que celle-ci soit entendue. Lorsque nous chantons dans notre tête, nous pouvons nous imaginer que nous faisons partie de la relève artistique, que nous sommes les prochains en lice vers le vedettariat. Malheureusement, si nous tentons la même expérience, cette fois sous la douche et à voix haute, ce rêve peut s'écrouler rapidement. La voix intérieure ne se reflète pas toujours à l'extérieur. Or, quand nous écrivons, c'est ce reflet qui est primordial. Ainsi, les élèves qui cherchent à travailler leur voix doivent avoir des occasions de lire leurs écrits à voix haute. Ils devraient peut-être même s'enregistrer pour s'écouter et analyser la puissance de leur voix d'auteur. Ont-ils bien employé la ponctuation? Les phrases sont-elles fluides? Le choix des mots permet-il de bien transmettre au public les émotions voulues selon l'intention privilégiée? Voilà ce que les élèves pourront constater en s'écoutant lire.

Enfin, il est important de rappeler que, puisqu'elle est propre à chaque individu, la voix doit être travaillée dans un contexte qui permet à l'élève d'exprimer sa personnalité de façon sincère. Les élèves doivent respecter leur voix afin de rester juste, et non écrire ce qu'ils croient que les autres attendent d'eux. L'enseignant est donc appelé à faire régulièrement le point avec les élèves sur leur intention et sur leur façon unique d'arriver à parler à leurs lecteurs par leurs écrits.

Les petits bijoux qui permettent d'aborder le trait

- *La vérité sur l'affaire des trois petits cochons*

  L'auteur, Jon Scieszka, présente l'histoire très connue des trois petits cochons, mais racontée cette fois par le loup. Celui-ci n'est plus le grand méchant que nous connaissons tous, mais plutôt la victime d'un complot des médias. Le pauvre animal veut tout simplement cuisiner un gâteau pour célébrer l'anniversaire de sa grand-mère, mais il lui manque un ingrédient essentiel. Il décide donc d'aller frapper à la porte de ses voisins pour emprunter ce qu'il lui faut. Ce n'est qu'une malencontreuse coïncidence si les voisins sont les célèbres petits cochons, et si le loup souffre d'un rhume... Un éternuement après l'autre, voilà le lecteur projeté au centre de l'action. Par son introduction bien choisie et sa voix forte, l'auteur nous plonge immédiatement dans la perspective voulue, celle du loup vulnérable et accusé à tort.

- *Bon chien, Fergus!*

  Dans ce livre, l'auteur, David Shannon, allie habilement un texte très simple et des illustrations évocatrices pour mettre en relief la voix du personnage principal. Jamais l'auteur n'écrit explicitement que Fergus est un chien, et que la voix appartient à son maître. Le lecteur fait les inférences nécessaires grâce à une panoplie d'éléments (ponctuation, choix des mots, etc.) qui apportent de la vraisemblance à la voix.

- *Lettres d'un chien obéissant*

  École de dressage ou prison ? C'est par une série de lettres écrites par un chien à son maître que le lecteur est amené à réfléchir à la perspective choisie par l'auteur ainsi qu'à l'intention d'écriture. Saurions-nous nous mettre dans la peau d'un chien pour écrire des lettres tantôt amicales, tantôt agressives, tantôt mélancoliques, mais toujours vraisemblables ? Voici la discussion que favorise ce livre écrit par Mark Teaugue.

- *Crois-tu que c'est facile d'être la fée des dents ?*

  L'auteure, Sheri Bell-Rehwoldt, doit avoir un bon réseau d'information, puisqu'elle semble connaître toute la vérité sur le travail de la fée des dents. Dans cet album humoristique, ce n'est pas une fée des dents docile et délicate que l'on entend, mais plutôt une fée aguerrie, devant surmonter d'innombrables obstacles pour accomplir sa mission, une fée qui espère bien une meilleure collaboration de tous les enfants qui perdent leurs dents et qui attendent d'elle des récompenses. Dès la première page, la voix de la fée des dents se veut forte et authentique. Ce livre permet donc une excellente analyse des éléments qui ajoutent à la voix dans l'écriture.

- *Tout le monde s'embrasse sauf moi*

  Qui ne se souvient pas de son premier amour ? Dans ce tout petit roman (un des rares que nous proposons dans cet ouvrage) très rigolo, Alex Cousseau raconte l'amour sans borne, mais tout à fait innocent, d'un garçon de neuf ans pour une vendeuse de chaussures. Tout au long de la lecture, nous croyons entendre le petit garçon qui compare son amour fantastique, mais plutôt impossible, à l'amour qu'il constate entre son chien et une marmotte qui habite dans son jardin. Voici donc le livre parfait pour analyser avec les élèves les éléments (ponctuation, choix des mots, longueur des phrases) qui ajoutent à l'authenticité de la voix.

Le tableau 5.1 donne les références complètes des petits bijoux présentés précédemment ainsi que celles d'autres petits bijoux.

Tableau 5.1 | Des textes pertinents pour aborder le trait

Titre	Auteur	Illustrateur	Éditeur	ISBN
La vérité sur l'affaire des trois petits cochons	Jon Scieszka	Lane Smith	Nathan, Paris, 1991	978-2092224083
Bon chien, Fergus !	David Shannon	David Shannon	Scholastic, Toronto, 2007	9780439942782
Lettres d'un chien obéissant	Mark Teaugue	Mark Teague	Milan Jeunesse, Toulouse, 2005	2-7459-1519-3
Crois-tu que c'est facile d'être la fée des dents ?	Sheri Bell-Rehwoldt	David Slonim	Scholastic, Toronto, 2008	978-0545988131
Tout le monde s'embrasse sauf moi (petit roman)	Alex Cousseau		Éditions du rouergue, Rodez, 2004	978-284156536-8

▷

Tableau 5.1 | Des textes pertinents pour aborder le trait (*suite*)

Titre	Auteur	Illustrateur	Éditeur	ISBN
Destructotor	Carole Tremblay	Dominique Jolin	Dominique et compagnie, Saint-Lambert, 2005	2-89512-143-5
Les enquêtes du potager	Bénédicte Guettier	Bénédicte Guettier	Gallimard Jeunesse, Paris, 2007	978-2-07061-220-8
La véritable histoire du Petit Chaperon rouge	Agnese Baruzzi	Sandro Natalini	Albin Michel Jeunesse, Paris, 2008	978-2-226-17759
Une histoire à quatre voix	Anthony Browne	Anthony Browne	L'école des loisirs, Paris, 2000	2-87767-239-5
Qui es-tu ?	Mercè Lopez	Mercè Lopez	Kaléidoscope, Paris, 2006	2-87767-496-7
La tétine de Nina	Christine Naumann-Villemin	Marianne Barcilon	Kaléidoscope, Paris, 2002	9782877673556
Sinon... !	Alice Bassié	Sylvain Diez	Kaléidoscope, Paris, 2009	9782877676021
C'est moi le plus fort	Mario Ramos	Mario Ramos	L'école des loisirs, Paris, 2002	9782211062084

Les activités pour explorer le trait

Activité 5.1 Une activité d'analyse

L'activité consiste à poser des questions *avant*, *pendant* et *après* la lecture de chacun des albums présentés (les petits bijoux, par exemple). Il est important de le faire ainsi, car les élèves sont amenés à formuler des hypothèses à partir de leurs connaissances générales et antérieures, à les vérifier tout au long de la lecture et à tirer des conclusions plus solides à la suite de la lecture, lesquelles sont basées sur des indices concrets relevés dans le texte (ponctuation particulière, utilisation des temps de verbes, choix des mots, etc.). Les réponses peuvent être abordées à l'oral ou à l'écrit, individuellement, en équipe ou en grand groupe, selon l'âge des élèves et la volonté de l'enseignant. Par contre, pour être efficace, la synthèse de la discussion devra être réalisée en grand groupe et centrée sur les réponses qui permettent de mieux cerner la voix.

Les questions qui peuvent être posées sont les suivantes :

1. D'après vous, qui raconte l'histoire ?
2. Que pensez-vous connaître de ce personnage ? Est-ce un homme, une femme ? Quel âge a ce personnage ? De quel endroit est-il originaire ?
3. Quelle est l'intention du personnage ? Pourquoi ce personnage raconte-t-il cette histoire ?

4. Avez-vous l'impression d'entendre une vraie personne ?

5. Le style de ce texte vous fait-il penser à un autre texte que vous connaissez ? Pourquoi ? Quelles caractéristiques ces deux textes ont-ils en commun sur le plan du style ?

Activité 5.2 Qui parle ? : une activité d'introduction

Pour entamer les discussions sur la voix, quoi de plus pertinent que de réfléchir à sa propre voix... parlée. Chaque élève reçoit une feuille sur laquelle il doit décrire sa voix et la façon dont il parle. Les élèves doivent tenir compte des éléments suivants :

- Le timbre
- L'accent
- Le vocabulaire
- Le débit
- Autres éléments au besoin

L'enseignant ramasse toutes les feuilles. Il lit les descriptions à voix haute, une à la fois ; les élèves doivent ensuite décider à qui appartient cette description.

Cette activité pourrait être reprise en donnant une intention précise aux élèves. Par exemple, ces derniers doivent se plaindre du nouveau code vestimentaire ou du menu à la cafétéria. Tous ont la même intention, mais l'expression orale de chacun conservera un caractère unique.

Activité 5.3 Chacun son expression

Cette activité est excellente pour faire prendre conscience aux élèves des deux dimensions de la voix, c'est-à-dire l'aspect personnel et unique, et l'aspect lié à l'intention et à la perspective choisie par l'auteur.

Les élèves sont assis en équipes de quatre. On attribue à chaque membre de l'équipe un numéro de 1 à 4. On distribue ensuite à chacun la fiche 5.3 *Une question de perspective* (*voir* à la page 58).

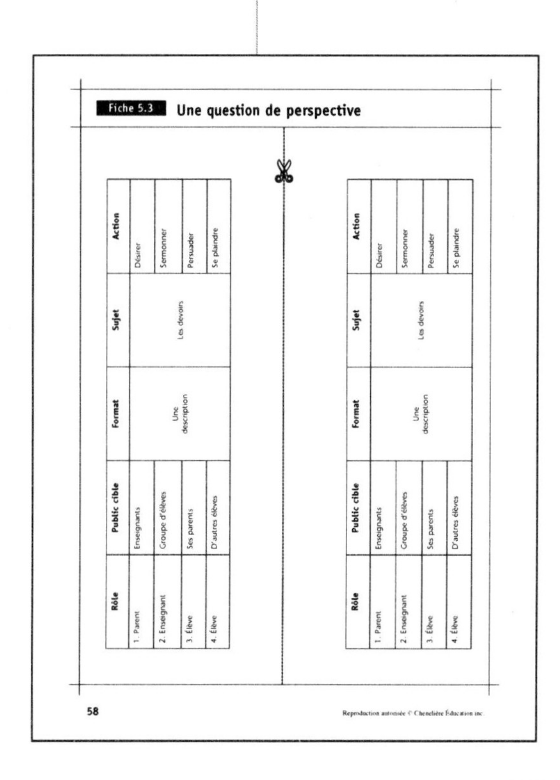
Fiche 5.3 Une question de perspective

Rôle	Public cible	Format	Sujet	Action
1. Parent	Enseignants	Une description	Les devoirs	Désirer
2. Enseignant	Groupe d'élèves			Sermonner
3. Élève	Ses parents			Persuader
4. Élève	D'autres élèves			Se plaindre

Rôle	Public cible	Format	Sujet	Action
1. Parent	Enseignants	Une description	Les devoirs	Désirer
2. Enseignant	Groupe d'élèves			Sermonner
3. Élève	Ses parents			Persuader
4. Élève	D'autres élèves			Se plaindre

58

Chaque élève incarne un rôle en fonction du numéro qui lui a été attribué. Par exemple, l'élève numéro 2 devra se mettre dans la peau d'un enseignant (rôle) qui parle à un groupe d'élèves (public cible) pour décrire (format) les devoirs (sujet) dans le but de les sermonner (action). Chacun écrit sa description individuellement. Puis, chaque membre de l'équipe lit son court texte aux autres membres. Bien que tous les membres de l'équipe aient eu à écrire sur un même sujet et à l'aide du même format, chaque texte sera bien différent. Cette partie de l'activité met en relief l'importance de l'intention et de la perspective choisie par l'auteur dans le développement de la voix. Enfin, de retour en grand groupe, l'enseignant demande à quelques élèves ayant incarné le même rôle de lire leur texte à voix haute. Ici, la classe réalisera que les caractéristiques personnelles de chacun influent sur la voix puisque, avec le même rôle, le même public cible, le même format, le même sujet et la même action, les textes resteront distincts.

Activité 5.4 Mon histoire

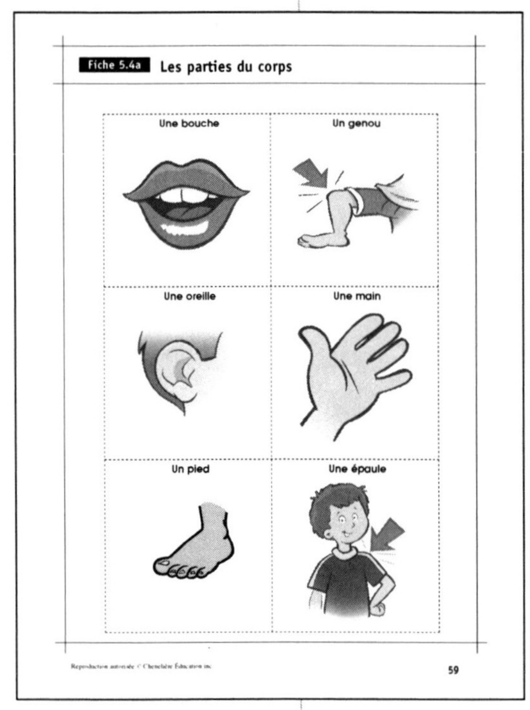

Fiche 5.4a Les parties du corps

Une bouche

Un genou

Une oreille

Une main

Un pied

Une épaule

59

Il n'est pas toujours facile de faire comprendre aux élèves de façon concrète l'importance de la personnalité de chacun et des caractéristiques propres à soi-même dans le développement de la voix. L'activité ci-dessous oblige les élèves à se mettre dans la peau d'une des parties du corps pour raconter une histoire (*voir* les fiche 5.4a *Les parties du corps* et 5.4b *Des titres pour une histoire*, aux pages 59 et 60).

Les élèves sont assis en équipes de quatre. On distribue d'abord les cartes des parties du corps. Chaque élève devient maintenant cette partie du corps. Au centre de la table, on place, à l'envers, les cartes des titres. On retourne une carte de titre à la fois. Chaque membre de l'équipe doit raconter l'histoire voulue avec la voix de la partie du corps qu'il représente. Par exemple, on tire la carte de titre : « Une matinée pluvieuse dans ma chambre ». Le genou commence, suivi de la bouche, puis de la main, etc. Une fois le tour de table terminé, on passe à la prochaine carte de titre. L'enseignant circule pour encourager les élèves à penser comme la partie du corps qu'ils représentent et à trouver ainsi une voix authentique et juste pour raconter l'histoire.

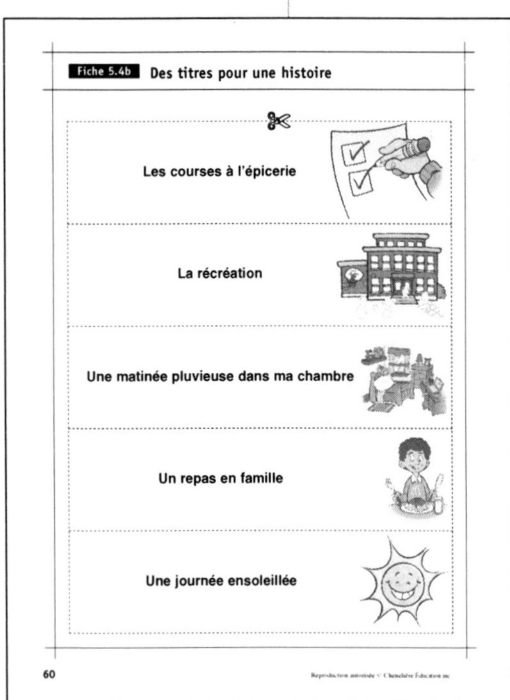

Fiche 5.4b Des titres pour une histoire

Les courses à l'épicerie

La récréation

Une matinée pluvieuse dans ma chambre

Un repas en famille

Une journée ensoleillée

60

Chapitre 6 Le point final cherche une famille : les conventions linguistiques

« Ce trait d'écriture englobe les conventions de présentation de texte : l'orthographe, la ponctuation, l'usage et la grammaire, les majuscules, ainsi que les alinéas. » (Spandel, 2005b.)

La présentation du trait

Cibles indéniables des enseignants de français, les conventions linguistiques ne manquent pas d'attention. Elles semblent d'ailleurs vouées à se retrouver sans cesse au cœur des plus grandes controverses sur l'efficacité de l'enseignement du français. Lorsque la société déplore les lacunes des élèves sur le plan de l'écrit, ce sont elles les grandes accusées, à tort et à travers. Contrairement à d'autres traits qui ont grand besoin d'être mis davantage en lumière, ce n'est pas d'un manque de célébrité que souffrent les conventions linguistiques. Quel est alors le problème ?

Puisqu'elles sont liées à la mécanique de l'écriture, les conventions linguistiques sont souvent présentées seules, de façon isolée, hors contexte. Du lundi au jeudi, par exemple, les élèves répètent le verbe « aller » aux cinq temps principaux, puis, le vendredi, ils font un petit test de conjugaison où ils doivent réciter ce qui a été mémorisé : je vais, tu vas, il va, etc. Sachant que les règles sont essentielles au bon fonctionnement de la langue, nous nous sentons pressés de les faire apprendre aux élèves, mais il est important de leur faire voir que ces règles s'appliquent au moment où ils se servent de la langue.

Il est vrai que lorsque nous achetons un jeu de société, par exemple, nous trouvons souvent les règles dans un dépliant à part. En général, celles-ci ne sont pas inscrites en plein centre de la planche de jeu. Cependant, les règles ne vivent que pour permettre le jeu, et n'ont de sens qu'au moment du jeu. Nous pourrions lire le dépliant au point d'en mémoriser les moindres détails, mais rien de cela ne serait utile si nous ne jouions pas, si nous n'avions pas de raison immédiate de recourir aux règles. Il arrive même souvent qu'avant de jouer nous ne fassions que survoler les règles pour ensuite nous y référer fréquemment au besoin, au moment de nos premières expériences avec le jeu. De même, la pertinence des conventions linguistiques ne se révèle que lorsque celles-ci sont mises en contexte, lorsqu'elles permettent une écriture efficace et une lecture juste.

Ainsi, ce n'est pas au tout début du processus d'écriture que les conventions prennent la vedette. Il est d'abord préférable d'avoir couché des idées sur papier et réfléchi à leur organisation avant de se pencher sérieusement sur la ponctuation ou sur l'accord des verbes, par exemple. Si vous alliez au garage pour demander au mécanicien de faire fonctionner une voiture que vous n'avez pas, cela lui poserait certainement un problème. Pourquoi consacrer du temps à une virgule à insérer dans une phrase alors que nous n'avons pas encore terminé de rédiger, ou alors que nous ne sommes pas encore convaincus de vouloir conserver la phrase en question ?

Les conventions linguistiques permettent de boucler la boucle, clarifiant les idées, façonnant la structure, mettant les mots en évidence, ajoutant de la vitalité au message et à la voix, et de la fluidité aux phrases. Elles ne sont rien seules, mais elles sont essentielles à l'ensemble du texte.

Les petits bijoux qui permettent d'aborder le trait

- *Et si... on disait des bêtises ?*

  L'auteure, Sonia Coutausse, présente une série d'hypothèses (si les vaches n'avaient pas de queue...), suivies de leur conséquence potentielle (elles ne pourraient plus chasser les mouches). Par ce livre cocasse et ludique, on voit sans douleur l'utilisation du conditionnel, et ce, page après page. Il devient donc beaucoup plus concret pour les élèves de bien se servir du conditionnel dans leur écriture quotidienne.

- *Le livre des petits pourquoi*

  L'auteure, Ghislaine Roman, enchaîne les questions les unes derrière les autres. Toutes commencent par « pourquoi », un excellent tremplin pour discuter de la phrase interrogative avec les élèves. Les phrases interrogatives commencent-elles toutes par « pourquoi » ? Quels autres mots, quelles autres expressions servent aussi à poser des questions ? La lecture de ce livre avec les élèves provoque une réflexion qui les poussera à recourir davantage à ce type de phrase, et à le faire de façon correcte et efficace.

- *Une vie d'escargot*

  L'auteure, Anne Cortey, raconte l'histoire d'Andreï, un escargot vivant dans la toundra et rêvant de pays lointains. Cette histoire peut donner l'occasion aux élèves de réfléchir à divers éléments appartenant au domaine des conventions linguistiques. Anne Cortey se sert de phrases courtes et simples dans lesquelles il est plus facile de relever l'efficacité des conventions linguistiques.

- *Alice sourit*

  Le célèbre tandem Jeanne Willis et Tony Ross présente ici le quotidien d'Alice, une petite fille tout à fait comme les autres... mis à part le fait qu'elle se déplace en fauteuil roulant (une histoire dont la fin est surprenante et qui mérite aussi d'être étudiée pour sa structure). Les phrases, très simples, sont toutes au présent. Quoi de plus utile pour illustrer, par exemple, la conjugaison de verbes au présent de l'indicatif, à la 3e personne du singulier ?

Le tableau 6.1 donne les références complètes des petits bijoux présentés précédemment, ainsi que celles d'autres suggestions de lecture.

Tableau 6.1 | Des textes pertinents pour aborder le trait

Titre	Auteur	Illustrateur	Éditeur	ISBN
Et si... on disait des bêtises ? (le conditionnel)	Sonia Coutausse	Sonia Coutausse	Scarabéa, Paris, 2007	2-84914-026-0
Le livre des petits pourquoi (les questions)	Ghislaine Roman	Tom Schamp	Milan Jeunesse, Toulouse, 2006	2-7459-1987-3
Une vie d'escargot (album sans mots)	Anne Cortey, Janik Coat	Anne Cortey, Janik Coat	Autrement Jeunesse, Paris, 2008	978-2746710955
Alice sourit (les verbes au présent)	Jeanne Willis	Tony Ross	Gallimard Jeunesse, Paris, 2002	978-2-07-054923-8
OINK (album sans mots)	Arthur Geisert	Arthur Geisert	Autrement Jeunesse, Paris, 1995	978-0395640487
Les grandes vacances (album sans mots)	Maja Celija	Maja Celija	Autrement Jeunesse, Paris, 2002	9-782746-708433
Edmond (album sans mots)	Juliette Binet	Juliette Binet	Autrement Jeunesse, Paris, 2008	9-782746-709546
Fini les folies ! Au lit ! (la ponctuation)	Alison Ritchie	Alison Ritchie	Scholastic, Toronto, 2008	9-780545-991049
Polo et Lili (album sans mots)	Régis Faller	Régis Faller	Bayard, Montréal, 2004	9-782747-014199
Les petits pains au nuage (le dialogue)	Baek Hee-na	Baek Hee-na	Didier Jeunesse, Paris, 2006	9782278056736
La tétine de Nina (le dialogue)	Christine Naumann-Villemin	Marianne Barcilon	Kaléidoscope, Paris, 2002	9782877673556

Les activités pour explorer le trait

Les conventions linguistiques font bande à part lorsqu'il s'agit de soutenir les apprentissages des élèves. En effet, pour que le travail soit ciblé et pertinent, il faut connaître leurs besoins. Il est donc essentiel d'amener régulièrement les élèves à écrire des textes variant en type et en intention pour sans cesse recueillir diverses données permettant de prendre des décisions quant aux conventions qui méritent d'être travaillées avec un élève, un petit groupe d'élèves ou toute la classe.

Activité 6.1 Le bric-à-brac

Plusieurs enseignants se servent du journal personnel pour faire écrire leurs élèves. Celui-ci peut être un excellent outil. Cependant, il arrive souvent que les élèves manquent d'inspiration quand ils doivent, tous les lundis, parler de leur week-end. Certains ont l'impression de n'avoir rien fait, du moins rien d'original ou d'intéressant, alors que d'autres racontent inlassablement leur dernier combat sur jeu vidéo. Si vous voulez pouvoir vous servir d'échantillons d'écriture pour travailler les conventions linguistiques, il faut aussi que la tâche permette aux élèves de se sentir inspirés.

Le bric-à-brac est semblable au journal ; l'enseignant ne corrige pas l'écrit comme tel, et le but est de permettre à l'élève de s'exprimer sur une base régulière. Cependant, deux facteurs font du bric-à-brac un outil qui peut s'avérer plus motivant.

Premièrement, le sujet lancé varie chaque fois. Un matin, vous pouvez simplement inscrire un mot au tableau (« bleu », « printemps », « fourchette », « brocoli », « marteau », etc.) et inviter les élèves à s'en inspirer. Le lendemain, vous posez une question ouverte (Qui vient avant, l'œuf ou la poule ? Pourquoi marchons-nous sur nos pieds ? Pourquoi le ciel n'a-t-il pas de fin ?). Parfois, vous lisez un court texte (ou un poème) et vous demandez aux élèves d'écrire ce qu'ils veulent à partir d'un mot entendu, d'une phrase tirée du texte, d'un extrait ou du sujet du texte lu. Cette diversité permet éventuellement à chacun d'y trouver son compte.

Le second facteur de motivation est lié au temps de rédaction. Pour écrire dans leur bric-à-brac, les élèves ont toujours un temps limité. Que vous leur donniez 2 minutes 33 secondes ou 3 minutes 11 secondes, le but est de les amener à écrire spontanément et le plus librement possible. Une fois le temps écoulé, tous les crayons doivent être déposés, que la phrase soit terminée ou non. Les élèves pourront toujours revenir sur un texte entamé pour le poursuivre à un autre moment. Mais cette course contre la montre lance néanmoins un défi que les élèves aiment beaucoup relever.

En vous servant du bric-à-brac régulièrement, voire quotidiennement, vous aurez en tout temps des données permettant de cibler judicieusement les conventions linguistiques à aborder en classe. Une fois que vous aurez abordées ces conventions, les élèves auront une mine inégalée de textes déjà commencés à partir desquels ils pourront mettre en pratique ce qu'ils auront appris.

Activité 6.2 Trois fois passera

Vous pouvez avoir recours à cette activité lorsque vous constatez la nécessité d'aborder un aspect particulier des conventions linguistiques avec la classe, soit parce que vous notez une difficulté commune, soit parce que les élèves démontrent qu'ils sont prêts et qu'ils ont maintenant besoin d'en savoir plus.

Les élèves sont regroupés en équipes de quatre. Chaque équipe se place autour d'une même table et reçoit une feuille de 27,94 cm × 47,72 cm (11 po × 17 po) (*voir* la fiche 6.2 *Le napperon,* à la page 62) qui est déposée au centre de la table.

Cette feuille est divisée en quatre pour que chaque élève puisse écrire à l'intérieur d'un espace déterminé. Au centre de la feuille, un espace commun est réservé pour la fin de l'activité. L'enseignant dicte une phrase ou une série de phrases mettant en lumière l'utilisation des conventions linguistiques à travailler. En silence, chaque élève écrit ce qui est dicté, au meilleur de ses connaissances, à l'endroit qui lui est réservé. Puis, on fait pivoter la feuille. Toujours en silence, chaque élève lit ce qui a été écrit par l'élève précédent et apporte les corrections nécessaires, toujours au meilleur de ses connaissances. On répète la procédure trois fois, puis la feuille revient à sa position originale (en face de l'élève qui a écrit la première fois dans la case qui se trouve maintenant devant lui). Ensuite, l'équipe doit arriver à un consensus sur la bonne façon d'écrire ce qui a été dicté. La réflexion individuelle pendant l'étape précédente sert à alimenter la négociation collective, en permettant aux élèves de se mettre d'accord avant de réécrire, dans l'espace commun au centre de la page, une version définitive de ce qui a été dicté. Une discussion en grand groupe s'ensuit.

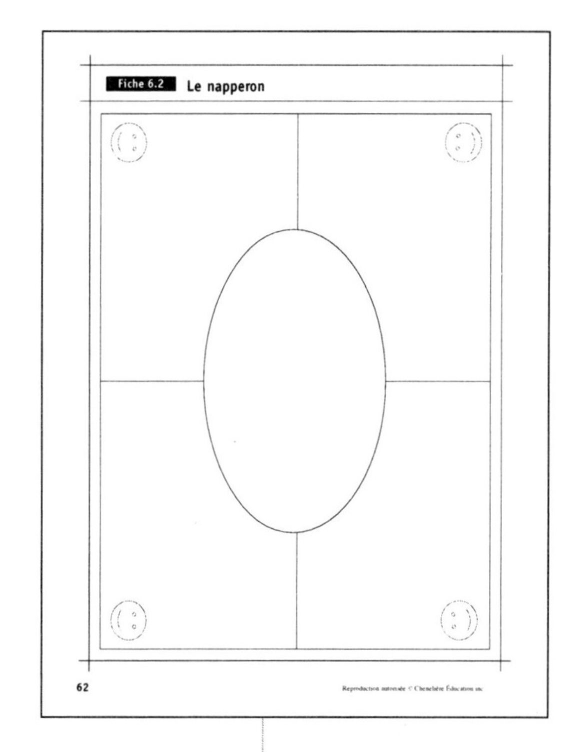
Fiche 6.2 Le napperon

62

Activité 6.3 Cherche et trouve

Le principe de cette activité est de permettre aux élèves de reconnaître une notion, un aspect de la langue, ou une règle grammaticale ou orthographique. Il est possible de choisir n'importe quel texte, mais nous proposons ici de sélectionner une chanson. Il s'agit d'écrire les paroles sur une feuille en éliminant certaines d'entre elles selon la notion ou la règle que vous voulez aborder. Par exemple, vous retirez tous les mots contenant le son « ou », tous les verbes au présent, etc. Il est intéressant de diviser la classe en équipes d'élèves ayant des besoins communs en ce sens. Vous préparez donc différentes versions de la chanson trouée, en éliminant chaque fois une autre série de mots, en fonction de la notion visée. Il est recommandé de faire les copies sur du papier de couleur afin de reconnaître facilement toutes les feuilles ciblant la même notion.

Nom: ______________ Date: ______________

Fiche 6.3b **Les deux printemps de Daniel Bélanger – version trouée 1**

Ses yeux sont deux ______________
Qui m'font sourire et ça m'fait rire
Ses joues sont des ______________
Les miennes s'y baignent mais ______________ pire
Son coeur est une fête
Le mien ne veut plus ______________ sortir
Elle est la plus belle saison de ma vie
La plus belle saison de ma vie

C'est un tourbillon un ______________ vertige
______________ doux
On dit qu' ______________ haute voltige
On peut tomber et s'rompre le cou
C'est pas mon premier vol
Arrêtez ______________ de jaloux
C'est la plus belle saison de ma vie
La plus belle saison de ma vie

Nos heures sont des rivières
Qui coulent ______________ une folle frénésie
L'amour est liquide clair
Et nos deux corps sont ______________
La terre est un brasier
Mais pour un ______________ l'oublier
C'est la plus belle saison de ma vie
La plus belle saison de ma vie

65

Chaque élève reçoit son exemplaire de la chanson trouée. La classe écoute la chanson (au moins à deux reprises), et les élèves tentent de trouver les mots manquants. Les élèves se retrouvent ensuite dans leur équipe, les feuilles de couleur permettant de rassembler facilement tous les élèves à un même endroit selon la notion travaillée. Ceux-ci comparent d'abord leurs réponses pour que tous puissent avoir la chanson complète. Ensuite, l'équipe doit trouver ce qui lie toutes les paroles qui avaient été retirées. S'agit-il de mots au pluriel? S'agit-il de mots féminins? Les élèves auront passé un moment à discuter des conventions sans même s'en rendre compte, en contexte, et de façon pratique. Pour un exemple complet, *voir* les fiches 6.3a Les deux printemps *de Daniel Bélanger – version intégrale;* 6.3b Les deux printemps *de Daniel Bélanger – version trouée 1;* 6.3c Les deux printemps *de Daniel Bélanger – version trouée 2;* 6.3d Les deux printemps *de Daniel Bélanger – version trouée 3;* 6.3e Les deux printemps *de Daniel Bélanger – version trouée 4;* 6.3f Les deux printemps *de Daniel Bélanger – version trouée 5.* La version 1 peut servir à travailler les différentes graphies du son « an » ; la version 2, les différentes graphies du son « ou » ; la version 3, les verbes à l'infinitif; la version 4, le pluriel des noms et la version 5, le vocabulaire lié aux corps humain. Cette dernière version est davantage liée au choix des mots qu'aux conventions linguistiques.

Activité 6.4 Trois en un

Vous cherchez une activité pour démarrer la matinée ou l'après-midi, une activité qui exige peu de planification, une activité simple et efficace? Surtout, vous cherchez une activité qui est axée sur les conventions, qui ne se rattache pas forcément à une tâche complexe, mais qui conserve tout de même le contexte nécessaire à l'apprentissage? Voici une suggestion pratique:

- Inscrivez au tableau trois phrases simples à partir d'un même sujet. Par exemple:

  1. Le chat miaulait.
  2. Le voisin a un chat.
  3. J'ai entendu le chat toute la nuit.

- Demandez aux élèves de combiner les trois phrases pour en faire une seule. Ce travail se fait d'abord individuellement. Puis, faites une mise en commun en inscrivant les réponses au tableau. En reprenant l'exemple de départ, les réponses pourraient être les suivantes:

  1. J'ai entendu le chat du voisin miauler toute la nuit.
  2. Toute la nuit, j'ai entendu miauler le chat du voisin.
  3. J'ai entendu le chat du voisin qui miaulait toute la nuit.

À travers ce petit exercice, vous abordez plusieurs notions grammaticales (la conjugaison du verbe, la ponctuation, la grammaire de la phrase, etc.) dans un contexte léger, mais pertinent.

Chapitre 7 Les grands bijoux

Lorsque nous amenons les élèves à se découvrir en tant qu'auteurs, nous cherchons régulièrement à aborder des questions importantes avec eux, sans savoir comment le faire de façon vivante et pertinente. Nous voulons les faire réfléchir simultanément aux rôles de l'auteur, de l'illustrateur et du lecteur, et ce, sans alourdir leur perception du travail d'écriture. Les livres ci-dessous (*voir* aussi le tableau 7.1), loin d'avoir été conçus avec une intention pédagogique, ont chacun une importante valeur pédagogique pour aborder tout sujet lié au développement de la compétence à écrire. Ils auraient facilement pu se retrouver dans chacun des chapitres précédents. Cependant, si nous les avons établis comme étant des **grands bijoux** plutôt que des petits, c'est que leur portée est encore plus considérable. En effet, dans chaque grand bijou, il est possible de reconnaître clairement plus d'un trait, et chacun nous mène à une réflexion sur le travail d'écriture, sur le rôle et l'influence du lecteur ainsi que sur les liens qui unissent toutes les facettes de l'écrit.

- *Rêves d'enfance*

  L'auteur, Gilles Tibo, joue avec les mots pour créer des poésies tantôt ludiques, tantôt sérieuses, tantôt farfelues, tantôt morales, et à la portée de tous. Les poèmes, par leur nature, se doivent d'être relativement courts. Ils sont donc parfaitement adaptés à l'observation du choix des mots, de la fluidité des phrases, de la voix et de l'utilisation particulière de certaines conventions linguistiques. Ceux qui désirent aborder la valeur de chaque trait en fonction de l'intention d'écriture seront comblés.

- *Les mammouths, les ogres, les extraterrestres et ma petite sœur*

  Par une histoire cocasse dans laquelle ils font allusion à plusieurs contes connus, les auteurs, Alex Cousseau et Nathalie Choux, mettent en relief les liens serrés existant entre l'auteur, l'illustrateur, les personnages et le lecteur d'un livre. Voilà le parfait outil pour réfléchir au travail d'écriture ainsi qu'à l'importance du lecteur. Ce livre servira de tremplin à l'enseignant qui cherche à lancer une discussion sur la dynamique de l'écriture, influencée tout autant par l'auteur que par l'illustrateur ou le lecteur. Il représente une occasion idéale à saisir avant de faire écrire aux élèves leur propre texte narratif, par exemple.

- *Le vrai de vrai journal de ma vie*

Quel enseignant n'a pas exigé de ses élèves, au moins une fois, qu'ils tiennent un journal (hebdomadaire, quotidien) ? Quoique personnel, le journal comme il est souvent utilisé en classe ne donne que rarement les effets escomptés. Les élèves n'en voient tout simplement pas l'utilité, ne sachant ce qu'ils doivent écrire ou la valeur que cela peut avoir sur le plan de la lecture. Dans ce livre, l'auteur, Gilles Tibo, se met dans la peau d'une jeune fille qui se sert de son journal comme meilleur ami, lieu de réflexion et premier public de poésies variées. Il s'agit donc d'un livre qui permet à l'enseignant de souligner la valeur du journal tout en présentant efficacement certains des traits tels que la voix.

- *Le monde englouti*

Au quotidien, nous lisons, voyons et entendons des textes que nous devons comprendre et interpréter. L'auteur, David Wiesner, présente un livre sans mots dont l'histoire, très forte, rappelle la valeur du texte vu, du texte en images. Il permet aussi d'amener les élèves à écrire une histoire qui existe en illustrations, à la travailler, un trait à la fois, pour mettre en paroles ce qui a été décrit en images. Si, par exemple, vous voulez que vos élèves se consacrent uniquement à la structure d'un texte, sans avoir à en trouver les idées, cet album procurera la base idéale pour organiser les idées fournies par l'auteur.

- *Le livre le plus génial que j'ai jamais lu...*

L'auteur, Christian Voltz, présente un ouvrage qui comprend deux histoires, celle de l'auteur et celle des personnages, pour mettre en lumière la relation entre l'auteur et ce qu'il écrit. Ce sont les personnages qui finissent par dicter l'histoire à l'auteur. Si vous cherchez à faire comprendre aux élèves les liens qui unissent l'auteur et le lecteur, ce livre ludique et original vous donnera l'occasion idéale d'amorcer la discussion.

Tableau 7.1 | Des grands bijoux

Titre	Auteur	Illustrateur	Éditeur	ISBN
Rêves d'enfance	Gilles Tibo	Gilles Tibo	Dominique et compagnie, Saint-Lambert, 2007	978-2895125181
Les mammouths, les ogres, les extraterrestres et ma petite sœur	Alex Cousseau, Nathalie Choux	Alex Cousseau, Nathalie Choux	Sarbacane, Paris, 2008	978-2848652436
Le vrai de vrai journal de ma vie	Gilles Tibo	Gilles Tibo	Imagine, Montréal, 2008	9782896080632
Le monde englouti (album sans mots)	David Wiesner	David Wiesner	Circonflexe, Paris, 2006	978-2878334005
Le livre le plus génial que j'ai jamais lu...	Christian Voltz	Christian Voltz	Pastel, Etterbeek, 2008	97892211089630

Chapitre 8 L'évaluation

L'évaluation n'est pas une fin en soi

L'évaluation des six traits doit se faire sur une base régulière et de diverses manières. Cependant, il est clair qu'il s'agit d'une évaluation au service de l'apprentissage et non d'une mesure finale. Celle-ci doit permettre à l'enseignant de constater l'évolution des élèves, de noter leurs besoins et de cibler les prochaines interventions qui seront nécessaires à chacun. Elle doit aussi favoriser l'autoréflexion par les élèves eux-mêmes, leur soulignant les forces à mettre de l'avant et les faiblesses à combler par des efforts continus et l'utilisation d'un éventail de stratégies. Par une évaluation au service de l'apprentissage, les élèves établissent des défis personnels afin d'assurer une progression dans leur travail d'écriture. Pour ce faire, il est essentiel pour tous, enseignants et élèves, de développer un langage commun pour parler de l'écriture et l'analyser efficacement. Il s'agit d'un des nombreux avantages d'aborder les six traits en classe.

Un trait à la fois

Même si, au départ, cela peut peser lourdement sur notre conscience, il faut faire la différence entre l'évaluation d'un travail d'écriture dans son ensemble et l'évaluation des apprentissages faits en lien avec un trait qui a été la cible de notre enseignement pour une période donnée. À la suite de notre présentation explicite d'un trait d'écriture, et à la fin d'une période de familiarisation avec ce trait par diverses tâches et activités, il est important de centrer notre évaluation sur ce trait en particulier. Si, par exemple, nous avons lu aux élèves l'album *Chers Maman et Papa* pour illustrer le fait qu'une idée naît souvent d'une expérience personnelle et que nous avons fait ressortir avec eux les éléments marquants de cette histoire sur le plan des idées, si nous avons ensuite demandé aux élèves d'écrire une carte postale à leurs parents pour explorer le même genre de texte en se servant de leurs expériences personnelles, si nous les avons par la suite amenés à découvrir des idées potentielles d'écriture à l'aide de l'activité 1.3 *Les idées en un tour de piste,* à la page 5, et les avons aidés à choisir une idée à exploiter davantage, discutant ensemble des détails pertinents qui rendraient cette idée accrocheuse et plus facile à développer, si enfin nous avons fait rédiger aux élèves un court paragraphe, une première tentative d'exploitation de leur idée, il nous faut pouvoir réagir à leur travail non dans son ensemble, mais bien sur la base des idées et de leur développement. Nous voulons donner une rétroaction pertinente, et nous souhaitons avoir des précisions sur la prochaine étape à franchir par rapport au trait abordé :

Bravo, Thomas, ton idée du pâté chinois est originale parce que tu me donnes quelques détails intéressants sur le moment où tu manges ce mets avec ta famille et les blagues que tu fais avec ton grand-père quand vous êtes assis à table. Maintenant, tu peux te servir de tes cinq sens pour mieux décrire ce moment où toute la famille est rassemblée. Je pourrai ainsi mieux me l'imaginer en lisant ton texte. Quelles sont les odeurs ? Quels sont les bruits ? Tu peux essayer de ralentir chaque instant dans ta tête, comme lorsqu'on regarde un film au ralenti, pour bien me raconter chaque détail.

Lorsque nous corrigeons tout, tout le temps, nous alourdissons notre propre tâche et nous submergeons les élèves de commentaires qui ne sont pas significatifs puisqu'ils sont trop nombreux et dispersés. Nous pouvons avoir l'impression que nous devons toujours analyser l'ensemble d'un texte, mais c'est en travaillant chacun des morceaux que le tout peut s'améliorer. Et même lorsque nous réagissons à un texte dans son ensemble, nous pouvons émettre des commentaires précis sur les aspects des traits qui sont particulièrement bien réussis et ceux qui mériteraient d'être revus en priorité, plutôt que de proposer, pêle-mêle, des dizaines de corrections.

Pour grimper, il faut une échelle

Quel outil privilégier pour évaluer le progrès de nos élèves au regard des six traits d'écriture ? Il existe une multitude d'outils que chaque enseignant peut adapter à ses besoins. Les grilles ou les échelles qui décrivent différents niveaux de développement nous paraissent les plus efficaces. Elles guident l'enseignement non seulement en nous indiquant ce que l'élève est en mesure de faire, mais aussi en nous permettant de voir ce qui manque pour que l'élève atteigne l'échelon supérieur. Ces outils doivent être utilisés ouvertement et explicitement en partenariat avec les élèves, car ceux-ci se sentiront plus compétents s'ils comprennent les critères sur lesquels leur travail sera évalué. Tel que nous l'avons abordé dans l'avant-propos, ce sentiment de compétence contribue fortement à la motivation à écrire. Les grilles ou les échelles fournissent à l'enseignant et aux élèves un langage commun pour parler d'écriture et pour réfléchir au travail d'écriture. L'enseignant peut ainsi accéder à des mots plus précis pour réagir aux écrits des élèves, en sachant que ceux-ci seront en mesure de bien gérer la rétroaction ainsi formulée.

Nous proposons ici une grille d'appréciation descriptive décomposant chaque trait selon ses principales caractéristiques (*voir* le tableau 8.1). Cette grille peut être utilisée pour n'analyser qu'un seul trait à la fois. Elle peut faire l'objet de discussions avec les élèves à divers moments pendant la présentation formelle d'un trait : au début pour constater les composantes d'un trait, puis tout au long de leur évolution pour juger de leur progrès et se remémorer les éléments importants dont il faut tenir compte. Elle peut également être jointe à un travail d'écriture évalué par l'enseignant pour donner une idée précise de la qualité de ce travail par rapport au trait ciblé. Les enseignants peuvent même s'y référer pendant toute la période de planification de l'enseignement pour chacun des traits, en se questionnant sur ce qui manque aux élèves pour continuer d'évoluer en écriture, et en réfléchissant au trait ou à l'aspect d'un trait méritant une attention plus immédiate ainsi qu'aux caractéristiques à aborder avec un élève en particulier, avec un petit groupe d'élèves ou avec la classe. Dans cette grille, trois niveaux sont indiqués : l'échelon 5, le niveau le plus fort ; l'échelon 3, le niveau minimum acceptable ; et l'échelon 1, le niveau le plus faible. Si un élève se situe entre deux échelons, il peut obtenir la cote 2 ou 4.

Tableau 8.1 | Une grille regroupant les six traits

Caractéristiques / Cotes	5	3	1
Les idées			
Sujet et connaissances	L'auteur semble bien posséder son sujet et exploite ses connaissances à son avantage.	L'auteur a une certaine connaissance de son sujet.	L'auteur connaît peu de choses sur le sujet.
Idée principale	L'idée principale est facile à cerner et à comprendre. Ce texte est clair et précis.	L'idée principale est assez claire ou peut être déduite du texte.	L'idée principale n'est pas claire et l'auteur s'éparpille.
Détails	Des détails bien choisis rehaussent l'idée principale et éclairent le lecteur.	Les généralités abondent, et les détails peu connus, significatifs ou captivants sont rares.	Les détails n'étayent ni ne développent une quelconque idée principale.
Utilité de l'information	Il n'y a pas de remplissage, c'est-à-dire d'information inutile. Chaque détail a son importance.	Une partie de l'information est complètement superflue.	Ce texte est principalement composé de remplissage.
La structure			
Introduction	L'introduction capte l'attention du lecteur et donne de la voix au texte.	Il y a une introduction, mais elle ne capte pas l'attention du lecteur.	Il n'y a pas d'introduction. Ce texte commence brusquement.
Organisation des détails	Les détails sont tous à la bonne place.	Les détails sont presque tous à la bonne place.	Il y a peu de détails.
Suite logique	Ce texte suit une logique évidente.	Ce texte s'écarte parfois de la suite logique.	Ce texte ne suit pas de logique évidente.
Liens	Le lecteur peut facilement voir les liens entre les détails et l'idée principale.	Il est possible de relier les détails à l'idée principale du texte. Certains détails ne sont pas pertinents.	Il est difficile de relier les détails à l'idée principale du texte. Le lecteur a du mal à trouver l'idée principale.
Conclusion	La conclusion est complète. Elle n'est ni brusque ni interminable.	Il y a une conclusion, mais elle laisse le lecteur sur sa faim ; elle manque de dynamisme.	Il n'y a pas de conclusion. Le texte s'arrête brusquement.

▷

Tableau 8.1 Une grille regroupant les six traits (*suite*)

Caractéristiques / Cotes	5	3	1
Le choix des mots			
Verbes	Des verbes puissants donnent de l'énergie au texte.	Quelques verbes puissants donnent de l'énergie au texte, mais il en faudrait plus.	Il n'y a pas de verbes puissants. Le vocabulaire est terne.
Mots-images	Les mots font naître des images vivantes dans l'esprit du lecteur. Il y a beaucoup de mots et de détails évocateurs.	Les mots font souvent naître des images dans l'esprit du lecteur. Certains mots sont vagues ou surutilisés.	Il est difficile de se représenter ce que l'auteur décrit. Des mots vagues et surutilisés nuisent à la lecture.
Précision	Il n'y a pas de superflu.	Ce texte est délayé par endroits.	Ce texte est très délayé ou perdu dans une mer de superflu.
Cinq sens	Les mots évocateurs aident le lecteur à voir, à entendre, à toucher, à goûter ou à sentir ce qui se passe.	L'auteur n'emploie pas assez de mots et de détails évocateurs liés aux cinq sens.	L'auteur n'utilise pas les mots et les détails évocateurs à son avantage; il ne fait pas appel aux cinq sens.
La fluidité des phrases			
Lecture à voix haute	Ce texte peut se lire à voix haute avec expression.	Certains passages du texte se lisent mal à voix haute.	Le lecteur doit répéter pour lire ce texte à voix haute. Des corrections dictées par l'écoute s'imposent.
Débuts et longueurs des phrases	Presque tous les débuts de phrases sont différents et les longueurs de phrases sont variées. Si l'un ou l'autre se répète, c'est avec une claire intention de la part de l'auteur d'ainsi transmettre le message.	Il y a trop de phrases qui commencent de la même façon et qui ont la même longueur, sans intention apparente et sans lien avec le message transmis.	Les débuts et les longueurs de phrases sont peu variés et ne tiennent pas compte du message transmis.
Dialogue	S'il y a un dialogue, il est vraisemblable (il ressemble à une vraie conversation).	S'il y a un dialogue, il n'est pas tout à fait vraisemblable (il ne ressemble pas toujours à une vraie conversation).	S'il y a un dialogue, il n'est pas vraisemblable (il ne ressemble pas à une vraie conversation).

Tableau 8.1 Une grille regroupant les six traits

Caractéristiques / Cotes	5	3	1
La voix			
Lecture à voix haute	Le lecteur a envie de lire ce texte à voix haute.	Le lecteur peut en lire certains passages à voix haute.	Ce texte n'est pas prêt à être lu à voix haute.
Enthousiasme pour le sujet	L'auteur semble s'investir dans son sujet. Son enthousiasme transparaît.	L'auteur connaît son sujet, mais il manque d'enthousiasme. L'énergie alterne avec le manque d'énergie.	L'auteur donne l'impression de s'ennuyer et il ne transmet aucun enthousiasme. Le lecteur peut se demander si le sujet inspirait vraiment l'auteur.
Destinataire	L'auteur a écrit en pensant à un destinataire précis.	L'auteur ne semble pas avoir eu de destinataire précis en tête, ou il semble avoir eu envie de terminer au plus vite.	L'auteur ne semble s'adresser à aucun destinataire précis.
Intention	La voix est parfaitement adaptée à l'intention d'écriture.	La voix est relativement bien adaptée à l'intention d'écriture.	La voix est faible ou n'est pas adaptée à l'intention d'écriture. Il lui faudrait plus de force.
Les conventions linguistiques			
Application des conventions	L'auteur a bien appliqué les conventions linguistiques. Son texte est clair.	L'application correcte des conventions linguistiques renforce le texte. Quelques erreurs peuvent sauter aux yeux ou ralentir la lecture sans changer le sens du texte.	De nombreuses erreurs ralentissement la lecture et nuisent à la compréhension du texte.
Fautes	Les fautes d'orthographe et les erreurs de ponctuation, de grammaire et d'utilisation des majuscules sont rares.	Les fautes d'orthographe et les erreurs de ponctuation, de grammaire et d'utilisation des majuscules sont en quantité acceptable et se corrigent facilement.	Il y a beaucoup de fautes d'orthographe et d'erreurs de ponctuation, de grammaire et d'utilisation des majuscules.
Relecture et correction	L'auteur a lu son texte en silence et à voix haute. Ainsi, il a corrigé toutes les erreurs ou presque.	L'auteur a lu son texte au complet au moins une fois, mais une deuxième lecture (en silence ou à voix haute) aurait pu servir.	L'auteur ne semble pas avoir lu son texte, ni en silence ni à voix haute. Ce texte a besoin d'être corrigé par l'auteur ou par un pair.

Source : Spandel, 2005a. Adapté avec permission.

Note

Chaque caractéristique d'un trait s'ajoute obligatoirement aux autres caractérisques pour former un tout. Il est donc impératif voir chaque trait de façon globale. Ainsi, l'élève peut obtenir une cote 3 pour les idées, non pas parce qu'une moyenne des cotes attribuées à chaque caractéristique a été établie (par exemple, l'élève aurait eu 5 pour le sujet et les connaissances, mais 1 pour l'idée principale), mais parce que les caractéristiques considérées globalement correspondent à une cote 3.

Conclusion

Vous avez fait le tour des traits, mais certaines de vos questions sont peut-être restées sans réponses ? Vous auriez besoin de petits conseils supplémentaires ? Nous vous présentons justement ici des recommandations pratiques pour vous encadrer davantage dans le travail d'écriture que vous faites avec vos élèves au quotidien.

- **Conseil 1 : Recopier le texte uniquement à la version définitive**

  Ce conseil s'adresse aux enseignants dont les élèves écrivent leurs textes à la main (les enseignants dont les élèves n'ont pas toujours accès à un ordinateur).

  Vous êtes peut-être parmi ces enseignants qui aiment le travail propre et bien fait. Cependant, sachez que, par sa nature, le processus d'écriture entraîne des écarts de conduite sur ce plan : le brouillon a le droit d'être... brouillon, c'est-à-dire rempli de ratures, de mots insérés ici et là, de flèches et d'encadrés de toutes sortes. Plusieurs enseignants demandent à leurs élèves de recopier leur texte après chacune des étapes de révision ou de correction d'épreuves. Les élèves peuvent donc se retrouver à faire deux, trois, voire cinq brouillons avant de passer à la version définitive. Mais le fait de demander aux élèves de recopier d'un brouillon à l'autre comporte plusieurs failles. Premièrement, il est très peu motivant de recopier sans cesse un même texte, peu importe les corrections ou les ajustements. Deuxièmement, chaque fois qu'un texte est recopié, il court le danger d'être mal recopié : les élèves ont tendance à ajouter des erreurs qu'ils n'avaient pas incluses précédemment. Troisièmement, il est important, pour l'enseignant comme pour l'élève, de pouvoir constater l'évolution d'un travail écrit en un coup d'œil, et non par la lecture de plusieurs copies différentes. Enfin, quelle est la valeur pédagogique du recopiage ? Constitue-t-il la meilleure utilisation du temps de classe ?

- **Conseil 2 : Faire écrire au stylo**

  Il y a un vieux mythe sur le passage rituel du crayon à mine au stylo. La tendance est à la mine pour tout ce qui est travail préliminaire, et au stylo pour tout ce qui est version définitive. Cependant, il faut souligner que les ratures parlent plus que ce qui a été effacé. Il est très intéressant de constater que la phrase « Ses yeux étaient très bleus » aura été raturée et remplacée par « Ses yeux étaient de la couleur d'un ciel sans nuages en plein hiver. » Il est important de faire valoir auprès des élèves les preuves de leurs efforts, les traces de leur travail, les marques du progrès de leurs projets d'écriture. Oui, il faut leur présenter explicitement la façon de faire des ratures propres qui permettent tout de même la lecture de leurs écrits mais, encore une fois, le brouillon dans toute sa splendeur doit être parsemé de corrections, de modifications et de retouches. C'est cela aussi qui permet à l'enseignant de mieux suivre le travail de ses élèves.

Conseil 3 : Ne pas systématiquement destiner tout travail écrit à la publication

Dans l'introduction, nous parlions de la lourdeur du travail d'écriture en classe. Une partie de cette lourdeur est issue de l'obligation que nous percevons de publier chacun des écrits de nos élèves. Par publication, nous entendons ici la mise au propre définitive d'un travail écrit, correction d'épreuves incluse. Un travail publié est un travail fini, sans erreurs, prêt à être diffusé. Lorsque nous devons décider si une tâche d'écriture doit se rendre jusqu'à l'étape de la publication, il s'agit encore une fois de nous demander quels apprentissages seront favorisés. La version définitive d'un texte écrit ne comprend pas toute la valeur pédagogique du travail réalisé. Au contraire, la majorité de l'apprentissage et du développement de la compétence se fait à l'intérieur du brouillon, lorsque l'élève formule ses idées, manipule le texte, l'organise, choisit ses mots, en ajoute ou en enlève, et ainsi de suite. L'enseignant devrait alors se fixer un maximum de brouillons à mener jusqu'au stade de la publication. Il doit décider judicieusement, avec ou sans les élèves, selon l'intention et les besoins, des tâches et des travaux d'écriture dont la publication comporte une certaine valeur pédagogique. Il est préférable de faire plus de brouillons pertinents qu'une série de versions définitives bâclées ou vides d'intention.

Conseil 4 : Parler pour mieux écrire

Le temps de l'écriture en solitaire par obligation est du passé, du moins en classe. Nous savons maintenant que le processus d'écriture est grandement enrichi par l'interaction avec d'autres. Que ce soit pour la recherche ou le développement des idées, pour leur organisation, pour la découverte de mots ou la construction de phrases, au stade de la préécriture, de la rédaction ou de la révision, le dialogue avec d'autres nous permet de faire évoluer notre pensée et de mieux diriger nos écrits. Ce n'est pas de la tricherie de discuter avec les autres ; c'est une stratégie gagnante à tout coup.

Conseil 5 : Lire en tant qu'auteur ; écrire en tant que lecteur

Nous ne répéterons pas assez souvent que la lecture et l'écriture sont indissociables. Cet ouvrage entier tente d'en faire la démonstration. Il faut que ce lien soit aussi évident pour les élèves. Le meilleur indice de notre réussite est de voir nos élèves lire le monde en tant qu'auteurs, observant les stratégies d'écriture dans les textes qu'ils lisent, et écrire le monde en tant que lecteurs, tenant compte du public qui lira leurs écrits.

Conseil 6 : Toujours garder l'objectif en tête

Il est vrai que les élèves doivent être exposés au maximum de temps d'écriture pour se développer en tant qu'auteurs. Cependant, il ne s'agit pas d'écrire pour écrire. Chaque activité doit avoir un but pédagogique, une intention d'apprentissage. Avant chaque tâche, chaque activité, il est important de savoir dans quel but nous la faisons vivre aux élèves. De même, après chaque tâche d'écriture, il est impératif de faire le point en se posant la question suivante : qu'est-ce que les élèves savent maintenant qu'ils ne savaient pas avant ? En tant qu'enseignants, il faut choisir nos interventions en fonction de leur valeur pédagogique, plutôt que de tenter d'attribuer par la suite une valeur à une activité que nous aurons choisie de façon aléatoire.

Conseil 7 : Écrire avec plaisir, un trait à la fois

Nous écrivons tous au quotidien. Pour enseigner efficacement l'écriture, il faut avoir cette conviction d'être soi-même un auteur et dégager un enthousiasme personnel pour l'écriture. Prenez plaisir à écrire et à faire écrire vos élèves ; ce plaisir est contagieux. Sachez que la tâche importante de faire progresser les élèves dans leur travail d'écriture vous semblera plus facile à réaliser un trait à la fois. Prenez votre temps ; allez à un rythme qui convient autant à vous qu'a vos élèves. Vous avez à votre portée une mine d'albums de toutes sortes qui n'attendent que d'être lus et qui sauront montrer l'exemple pour une écriture réussie. N'oubliez pas que, pour avoir envie d'écrire, les élèves doivent en ressentir le besoin réel. Ils doivent se sentir compétents et avoir l'impression de pouvoir faire des choix, d'avoir un certain contrôle. Surtout, ils doivent prendre plaisir à écrire dans un contexte qui leur permet d'évoluer sans cesse et qui leur donne accès à l'écriture comme outil authentique de communication.

Fiche 1.1 Un dé à fabriquer

Nom : ______________________ Date : ______________

Fiche 1.2 **Les sens donnent du sens**

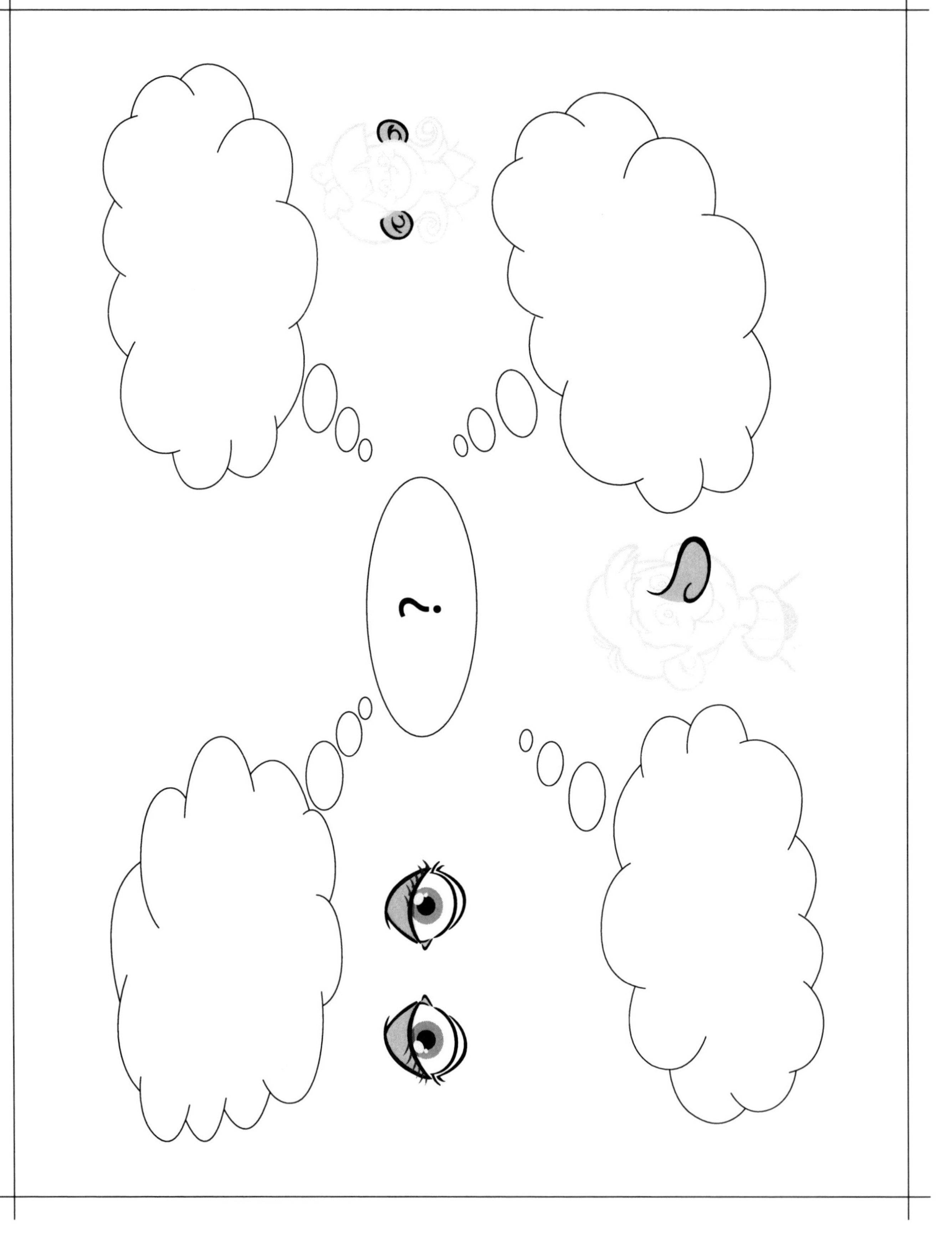

Fiche 1.3 Parle-moi de toi

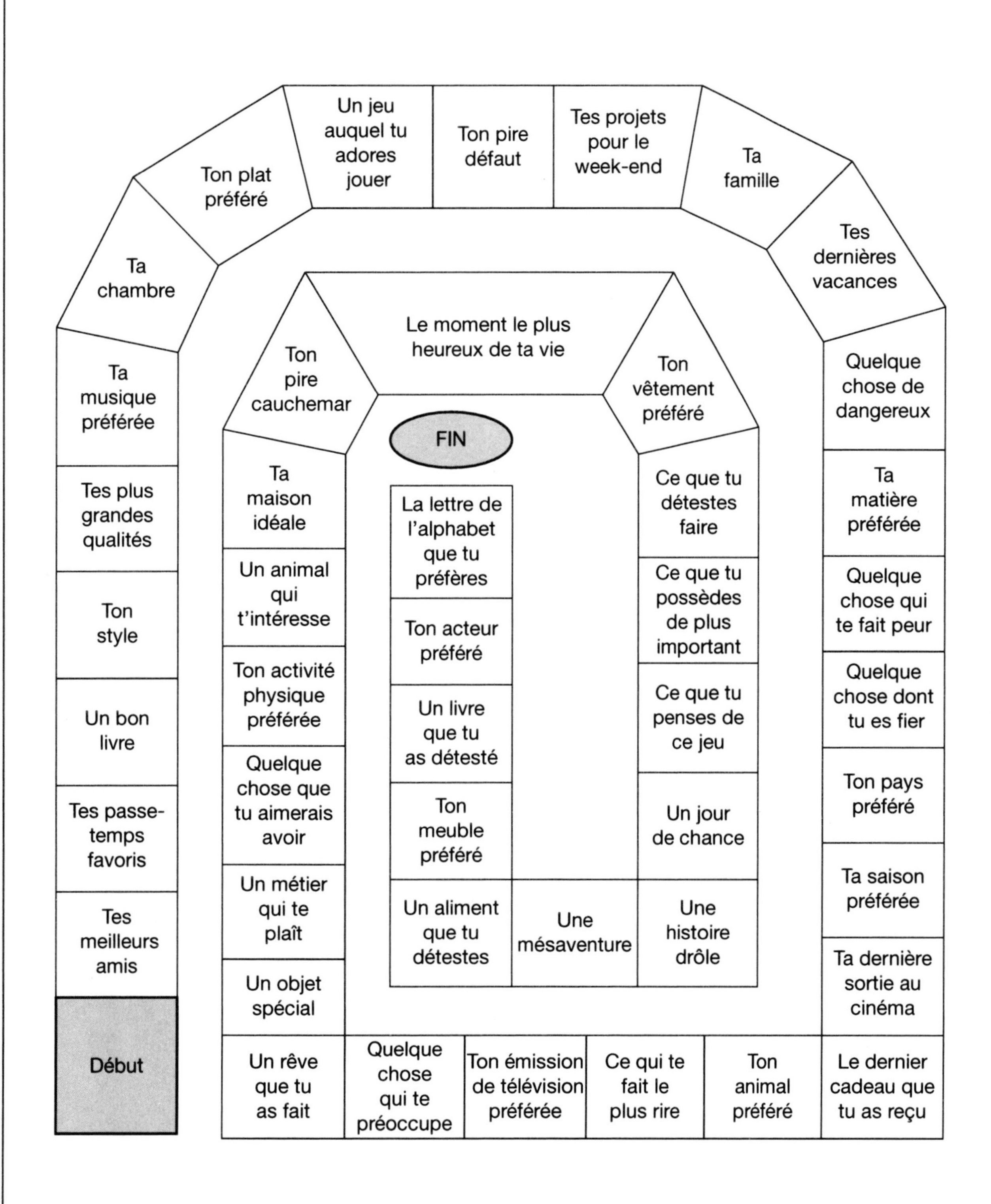

Nom : ______________________ Date : ______________

Fiche 1.4

La toile en étoile

Nom : ______________________________ Date : ____________________

Fiche 2.2 Des exemples de problèmes

Problème 1 : Les sandwichs de Sébastien

Pour le pique-nique de sa classe, Sébastien devait amener des sandwichs pour tous les élèves. La maman de Sébastien a préparé 67 sandwichs dans trois sacs : le sac A, le sac B et le sac C.

Sébastien dit à Gabrielle :
—Si je prenais deux fois le nombre de sandwichs contenus dans le sac A, puis tous les sandwichs qu'il y a dans le sac B, j'aurais C sandwichs.

Gabrielle reprend :
—Si je prenais les sandwichs du sac A, puis deux fois les sandwichs du sac B, j'aurais (C + 1) sandwichs.

Combien y a-t-il de sandwichs dans le sac C ?

Nom : ______________________________ Date : ____________________

Fiche 2.2 *(suite)*

Problème 2 : Les matchs de tennis

Nicolas, Benjamin et Talia ont joué cinq matchs de tennis. Nicolas a rencontré Benjamin pour la première partie. Puis, pour la seconde partie, Talia s'est mesurée au gagnant. Par la suite, la personne qui a perdu le match a cédé sa place à la personne qui attendait de jouer.

1. Talia a gagné le deuxième match.
2. Nicolas a gagné le troisième match.
3. Benjamin a gagné exactement deux matchs.

Qui a gagné le dernier match ?

Fiche 3.3 Des mots d'albums

Un merveilleux petit rien

bébé	couverture
garçon	usée
effilochée	arranger
ciseaux	tissu
aiguille	étoffe
manteau	vieillit
maman	grand-papa
serré	jeter
veste	souillée
cravate	pendouille
mouchoir	bouton
perdu	histoire

Billy se bile

chapeaux	chaussures
nuages	pluie
s'inquiéter	oiseaux
géants	papa
maman	mamie
fiston	rassurer
nuit	sommeil
marmotte	souche
dormir	poupées
imagination	protéger
oreiller	étonnant
fabriquer	ridicule

L'écureuil et la lune

écureuil	lune
hérisson	bouc
prison	souris
ciel	se réveiller
sursaut	tomber
grosse	ronde
jaune	maison
chercher	partout
arrêter	enfermer
disparaître	matin
se décoller	heureusement
planter	dessus
imaginer	trouver
foncer	traces
jeter	échapper
expliquer	réparer
traverser	coincer
remarquer	sentir
commencer	rassasiée
anéantie	forme

Fiche 5.3 Une question de perspective

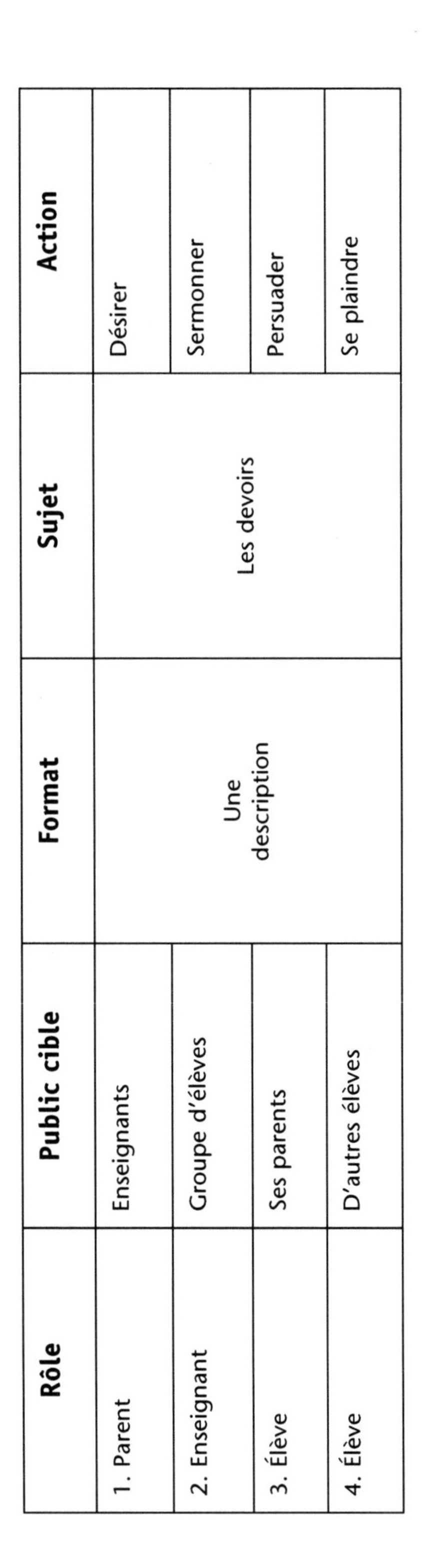

Rôle	Public cible	Format	Sujet	Action
1. Parent	Enseignants	Une description	Les devoirs	Désirer
2. Enseignant	Groupe d'élèves			Sermonner
3. Élève	Ses parents			Persuader
4. Élève	D'autres élèves			Se plaindre

Rôle	Public cible	Format	Sujet	Action
1. Parent	Enseignants	Une description	Les devoirs	Désirer
2. Enseignant	Groupe d'élèves			Sermonner
3. Élève	Ses parents			Persuader
4. Élève	D'autres élèves			Se plaindre

Fiche 5.4a Les parties du corps

Une bouche

Un genou

Une oreille

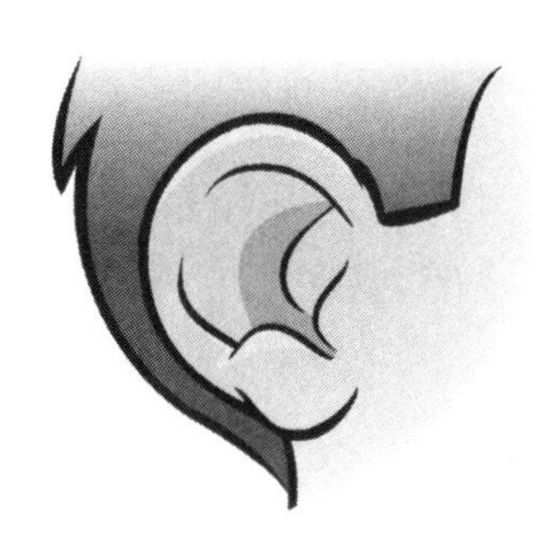

Une main

Un pied

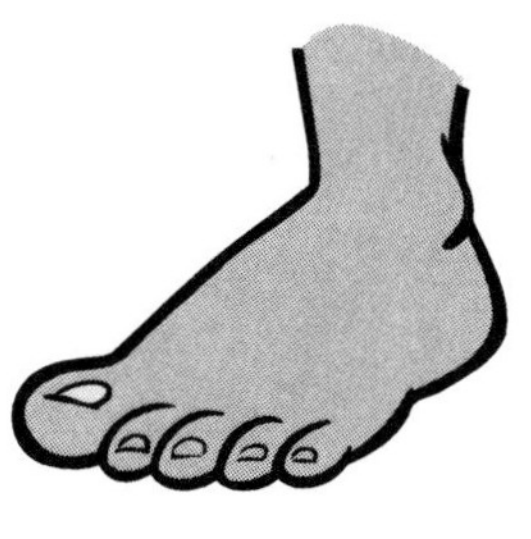

Une épaule

Fiche 5.4b Des titres pour une histoire

Les courses à l'épicerie

La récréation

Une matinée pluvieuse dans ma chambre

Un repas en famille

Une journée ensoleillée

Un après-midi au parc

Une fête surprise

Dans le bureau de papa

Une chicane dans la voiture

Le livre ouvert

Fiche 6.2 Le napperon

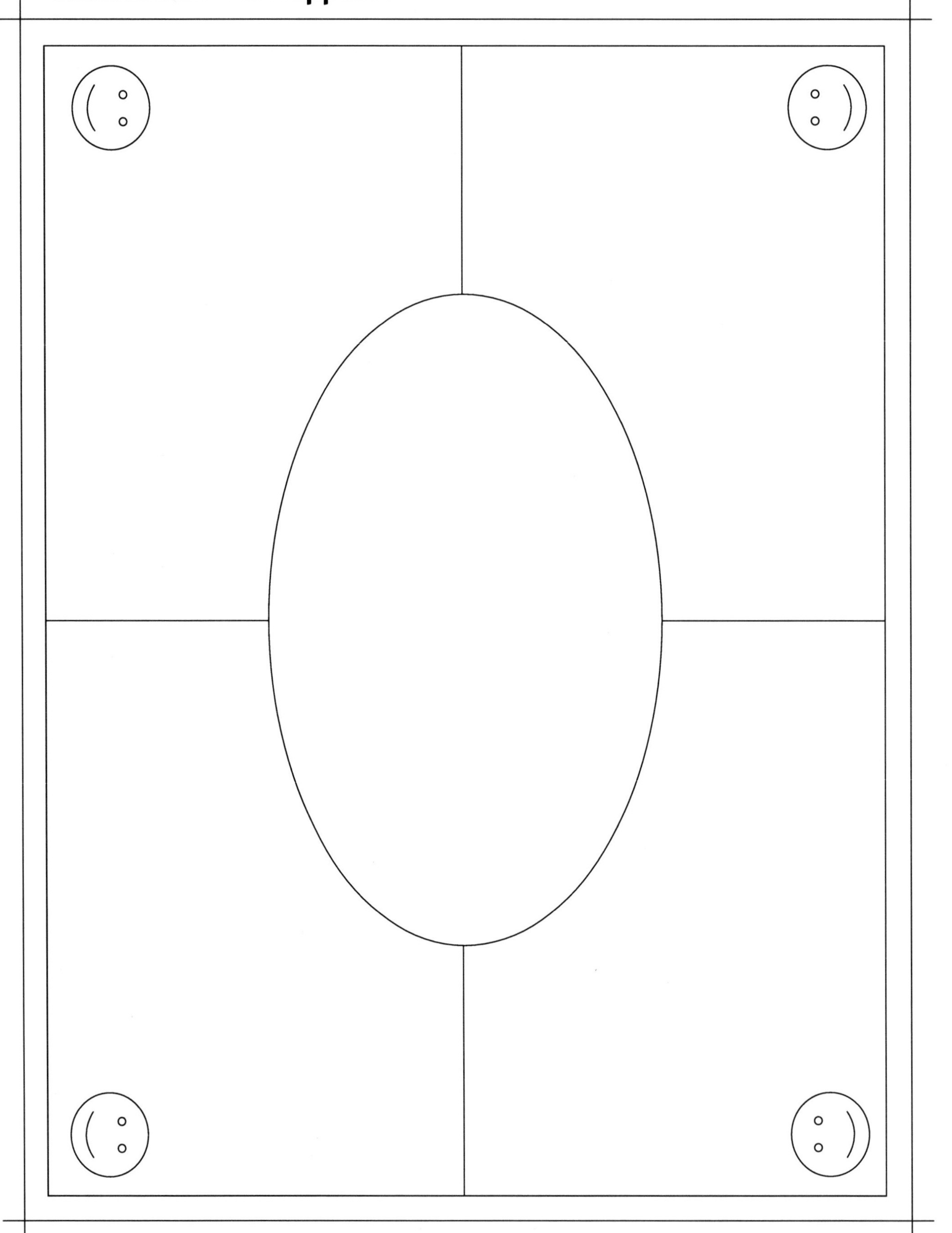

Fiche 6.3a *Les deux printemps* de Daniel Bélanger – version intégrale

Ses yeux sont deux printemps
Qui m'font sourire et ça m'fait rire
Ses joues sont des torrents
Les miennes s'y baignent mais encore pire
Son coeur est une fête
Le mien ne veut plus en sortir
Elle est la plus belle saison de ma vie
La plus belle saison de ma vie

C'est un tourbillon un grand vertige
Complètement doux
On dit qu'en haute voltige
On peut tomber et s'rompre le cou
C'est pas mon premier vol
Arrêtez bande de jaloux
C'est la plus belle saison de ma vie
La plus belle saison de ma vie

Nos heures sont des rivières
Qui coulent en une folle frénésie
L'amour est liquide clair
Et nos deux corps sont amphibies
La terre est un brasier
Mais pour un moment l'oublier
C'est la plus belle saison de ma vie
La plus belle saison de ma vie

Qu'elle ne plaise à personne
Ni du visage ni de l'esprit
Restez en votre automne
L'été tout l'an m'fait plus envie
Persuadez-vous de mes deux yeux fermés
J'affirme en toute cécité
T'es la plus belle saison de ma vie
La plus belle saison de ma vie

Il y a toujours des noirceurs
Pour assombrir quelques beautés
Des êtres qui ont peur
Qui veulent vous en contaminer
Me protéger des loups
Moi qui n'en compte que des amis
T'es la plus belle saison de ma vie
T'es la plus belle saison de ma vie

Nous serons vieux et frêles
Peut-être même séparés
Nos têtes pêle-mêle
Incapables et usés
Mais aujourd'hui je t'aime
Aujourd'hui pour l'éternité
T'es la plus belle saison de ma vie
La plus belle saison de ma vie

Nom : ______________________ Date : ______________

Fiche 6.3b Les deux printemps de Daniel Bélanger – version trouée 1

Ses yeux sont deux ______________________
Qui m'font sourire et ça m'fait rire
Ses joues sont des ______________________
Les miennes s'y baignent mais ______________________ pire
Son coeur est une fête
Le mien ne veut plus ______________________ sortir
Elle est la plus belle saison de ma vie
La plus belle saison de ma vie

C'est un tourbillon un ______________________ vertige
______________________ doux
On dit qu'______________________ haute voltige
On peut tomber et s'rompre le cou
C'est pas mon premier vol
Arrêtez ______________________ de jaloux
C'est la plus belle saison de ma vie
La plus belle saison de ma vie

Nos heures sont des rivières
Qui coulent ______________________ une folle frénésie
L'amour est liquide clair
Et nos deux corps sont ______________________
La terre est un brasier
Mais pour un ______________________ l'oublier
C'est la plus belle saison de ma vie
La plus belle saison de ma vie

Nom : ______________________________ Date : ____________________

Fiche 6.3b *(suite)*

Qu'elle ne plaise à personne
Ni du visage ni de l'esprit
Restez ____________________ votre automne
L'été tout l'____________________ m'fait plus
____

Persuadez-vous de mes deux yeux fermés
J'affirme ____________________ toute cécité
T'es la plus belle saison de ma vie
La plus belle saison de ma vie

Il y a toujours des noirceurs
Pour assombrir quelques beautés
Des êtres qui ont peur
Qui veulent vous ____________________ contaminer
Me protéger des loups
Moi qui n'____________________ compte que des amis
T'es la plus belle saison de ma vie
T'es la plus belle saison de ma vie

Nous serons vieux et frêles
Peut-être même séparés
Nos têtes pêle-mêle
Incapables et usés
Mais aujourd'hui je t'aime
Aujourd'hui pour l'éternité
T'es la plus belle saison de ma vie
La plus belle saison de ma vie

Nom : ______________________ Date : ______________

Fiche 6.3c

Les deux printemps de Daniel Bélanger – version trouée 2

Ses yeux sont deux printemps
Qui m'font ____________________ et ça m'fait rire
Ses ____________________ sont des torrents
Les miennes s'y baignent mais encore pire
Son coeur est une fête
Le mien ne veut plus en sortir
Elle est la plus belle saison de ma vie
La plus belle saison de ma vie

C'est un ____________________ un grand vertige
Complétement ____________________
On dit qu' en haute voltige
On peut tomber et s'rompre le ____________________
C'est pas mon premier vol
Arrêtez bande de ____________________
C'est la plus belle saison de ma vie
La plus belle saison de ma vie

Nos heures sont des rivières
Qui ____________________ en une folle frénésie
L' ____________________ est liquide clair
Et nos deux corps sont amphibies
La terre est un brasier
Mais pour un moment l'____________________
C'est la plus belle saison de ma vie
La plus belle saison de ma vie

Nom: ______________________ Date: ______________

Fiche 6.3c *(suite)*

Qu'elle ne plaise à personne
Ni du visage ni de l'esprit
Restez en votre automne
L'été ______________________ l'an m'fait plus envie
Persuadez-vous de mes deux yeux fermés
J'affirme en toute cécité
T'es la plus belle saison de ma vie
La plus belle saison de ma vie

Il y a ______________________ des noirceurs
Pour assombrir quelques beautés
Des êtres qui ont peur
Qui veulent vous en contaminer
Me protéger des ______________________
Moi qui n' en compte que des amis
T'es la plus belle saison de ma vie
T'es la plus belle saison de ma vie

Nous serons vieux et frêles
Peut-être même séparés
Nos têtes pêle-mêle
Incapables et usés
Mais ______________________ je t'aime
______________________ pour l'éternité
T'es la plus belle saison de ma vie
La plus belle saison de ma vie

Nom : ______________________ Date : ______________

Fiche 6.3d Les deux printemps de Daniel Bélanger – version trouée 3

Ses yeux sont deux printemps
Qui m'font ______________________ et ça m'fait

____
Ses joues sont des torrents
Les miennes s'y baignent mais encore pire
Son coeur est une fête
Le mien ne veut plus en ______________________
Elle est la plus belle saison de ma vie
La plus belle saison de ma vie

C'est un tourbillon un grand vertige
Complètement doux
On dit qu'en haute voltige
On peut ______________________ et
s'______________________ le cou
C'est pas mon premier vol
Arrêtez bande de jaloux
C'est la plus belle saison de ma vie
La plus belle saison de ma vie

Nos heures sont des rivières
Qui coulent en une folle frénésie
L'amour est liquide clair
Et nos deux corps sont amphibies
La terre est un brasier
Mais pour un moment l' ______________________

Nom : ______________________ Date : ______________

Fiche 6.3d *(suite)*

C'est la plus belle saison de ma vie
La plus belle saison de ma vie

Qu'elle ne plaise à personne
Ni du visage ni de l'esprit
Restez en votre automne
L'été tout l'an m'fait plus envie
Persuadez-vous de mes deux yeux fermés
J'affirme en toute cécité
T'es la plus belle saison de ma vie
La plus belle saison de ma vie

Il y a toujours des noirceurs
Pour ______________________ quelques beautés
Des êtres qui ont peur
Qui veulent vous en ______________________
Me ______________________ des loups
Moi qui n'en compte que des amis
T'es la plus belle saison de ma vie
T'es la plus belle saison de ma vie

Nous serons vieux et frêles
Peut-être même séparés
Nos têtes pêle-mêle
Incapables et usés
Mais aujourd'hui je t'aime
Aujourd'hui pour l'éternité
T'es la plus belle saison de ma vie
La plus belle saison de ma vie

Nom : ______________________________ Date : ____________________

Fiche 6.3e Les deux printemps de Daniel Bélanger – version trouée 4

Ses ______________________ sont deux

____

Qui m'font sourire et ça m'fait rire

Ses ______________________ sont des ______________________

Les miennes s'y baignent mais encore pire

Son coeur est une fête

Le mien ne veut plus en sortir

Elle est la plus belle saison de ma vie

La plus belle saison de ma vie

C'est un tourbillon un grand vertige

Complètement doux

On dit qu'en haute voltige

On peut tomber et s'rompre le cou

C'est pas mon premier vol

Arrêtez bande de ______________________

C'est la plus belle saison de ma vie

La plus belle saison de ma vie

Nos ______________________ sont des

____

Qui coulent en une folle frénésie

L'amour est liquide clair

Et nos deux ______________________ sont amphibies

La terre est un brasier

Mais pour un moment l'oublier

Nom : ______________________ Date : ______________

Fiche 6.3e *(suite)*

C'est la plus belle saison de ma vie
La plus belle saison de ma vie

Qu'elle ne plaise à personne
Ni du visage ni de l'esprit
Restez en votre automne
L'été tout l'an m'fait plus envie
Persuadez-vous de mes deux ______________________ fermés
J'affirme en toute cécité
T'es la plus belle saison de ma vie
La plus belle saison de ma vie

Il y a toujours des ______________________
Pour assombrir quelques ______________________
Des ______________________ qui ont peur
Qui veulent vous en contaminer
Me protéger des ______________________
Moi qui n'en compte que des ______________________
T'es la plus belle saison de ma vie
T'es la plus belle saison de ma vie

Nous serons vieux et frêles
Peut-être même séparés
Nos ______________________ pêle-mêle
Incapables et usés
Mais aujourd'hui je t'aime
Aujourd'hui pour l'éternité
T'es la plus belle saison de ma vie
La plus belle saison de ma vie

Nom : ______________________ Date : ______________

Fiche 6.3f

Les deux printemps de Daniel Bélanger – version trouée 5

Ses ______________________ sont deux printemps
Qui m'font sourire et ça m'fait rire
Ses ______________________ sont des torrents
Les miennes s'y baignent mais encore pire
Son ______________________ est une fête
Le mien ne veut plus en sortir
Elle est la plus belle saison de ma vie
La plus belle saison de ma vie

C'est un tourbillon un grand vertige
Complètement doux
On dit qu'en haute voltige
On peut tomber et s'rompre le ______________________
C'est pas mon premier vol
Arrêtez bande de jaloux
C'est la plus belle saison de ma vie
La plus belle saison de ma vie

Nos heures sont des rivières
Qui coulent en une folle frénésie
L'amour est liquide clair
Et nos deux ______________________ sont amphibies
La terre est un brasier
Mais pour un moment l'oublier
C'est la plus belle saison de ma vie
La plus belle saison de ma vie

Nom : ______________________ Date : ______________________

Fiche 6.3f *(suite)*

Qu'elle ne plaise à personne
Ni du ______________________ ni de l'esprit
Restez en votre automne
L'été tout l'an m'fait plus envie
Persuadez-vous de mes deux ______________________ fermés
J'affirme en toute cécité
T'es la plus belle saison de ma vie
La plus belle saison de ma vie

Il y a toujours des noirceurs
Pour assombrir quelques beautés
Des êtres qui ont peur
Qui veulent vous en contaminer
Me protéger des loups
Moi qui n'en compte que des amis
T'es la plus belle saison de ma vie
T'es la plus belle saison de ma vie

Nous serons vieux et frêles
Peut-être même séparés
Nos ______________________ pêle-mêle
Incapables et usés
Mais aujourd'hui je t'aime
Aujourd'hui pour l'éternité
T'es la plus belle saison de ma vie
La plus belle saison de ma vie

Annexe 1 : Des livrets pour enseigner les traits d'écriture

Chenelière Éducation offre plusieurs collections de livrets de lecture gradués. Certains mettent en évidence de manière particulière l'un ou l'autre des traits d'écriture. Les tableaux 1 à 8 présentent quelques-uns de ces livrets, regroupés en fonction du niveau scolaire des élèves à qui ils s'adressent. Le titre, la collection et l'ISBN de chaque livret sont mentionnés. Vous pourrez trouver davantage d'informations sur chaque collection dans le site Web de Chenelière Éducation, à l'adresse www.cheneliere.ca, dans la section litrératie.

Tableau 1 | Des livrets pour la 1re année du primaire

Titre	Collection	ISBN
Les idées		
L'anniversaire de Banjo	GB+, série Jaune, niveau 7	978-2-7616-3975-0
La peinture de Zoé	GB+, série Bleu, niveau 10	978-2-7616-3672-8
Le jeu de cache-cache	GB+ Histoires en photos, série Jaune, niveau 6	978-2-7616-4922-3
Un récif de corail	Zap sciences, série Bleu, niveaux 9 à 11	978-2-7616-4147-0
La structure du texte		
Je fais un album-souvenir	Comment faire ?, série Bleu-Vert	978-2-7650-1927-5
La maison sur la colline	GB+, série Bleu, niveau 10	978-2-7616-3671-1
La petite poule blanche	GB+, série Jaune, niveau 8	978-2-7616-3984-2
Une drôle de maison	GB+, série Bleu, niveau 9	978-2-7616-4005-3
Des pommes pour Flocon	GB+ Histoires en photos, série Bleue, niveau 11	978-2-7616-4930-8
La voix		
La course de Zoé	GB+, série Rouge, niveau 4	978-2-7616-3936-1
Le sac à surprises	GB+, série Rouge, niveau 4	978-2-7616-3940-8
1,2,3... partez !	GB+, série Jaune, niveau 6	978-2-7616-3961-3
Un feu sur la colline de Joujouville	GB+, série Bleu, niveau 9	978-2-7616-4004-6
Un peu de maïs soufflé ?	GB+, série Vert, niveau 13	978-2-7616-3712-1
Maxime va à la pêche	GB+, série Jaune, niveau 8	978-2-7616-3987-3

▷

Le choix des mots		
Au bord de la mer	GB+, série Bleu, niveau 11	978-2-7616-3678-0
Petit Chimpanzé et les termites	GB+, série Vert, niveau 13	978-2-7616-3710-7
Des tulipes en cadeau	GB+ Histoires en photos, série Verte, niveau 12	978-2-7616-4949-0
Yexian	Théâtre des lecteurs, Contes et légendes, Ensemble 1	978-2-7650-2193-3
Les grenouilles	Zap sciences, série Vert, niveaux 12 à 14	978-2-7616-4203-3
La fluidité		
Je fais un cadran solaire	Comment faire ?, série Bleu-Vert	978-2-7650-1930-5
Zoé joue à la balle	GB+, série Bleu, niveau 9	978-2-7616-4006-0
La corneille et le pot	GB+, série Vert, niveau 13	978-2-7616-3707-4
Des lunettes pour Maxime	GB+, série Vert, niveau 13	978-2-7616-3705-3
Manger avec plaisir	GB+, série Vert, niveaux 14 et 15	978-2-7616-3727-5
La chasse aux crabes	GB+ Histoires en photos, série Bleue, niveau 11	978-2-7616-4936-0
L'herbe est toujours plus verte et *Ne réveillez pas le chien qui dort*	Théâtre des lecteurs, Contes et légendes, Ensemble 1	978-2-7650-2191-9
Les conventions linguistiques		
Le jeu de cache-cache	GB+ Histoires en photos, série Jaune, niveau 6	978-2-7616-4922-3
Le lion et le lapin	Théâtre des lecteurs, Contes et légendes, Ensemble 1	978-2-7650-2192-6

Tableau 2 Des livrets pour la 2e année du primaire

Titre	Collection	ISBN
Les idées		
Les Tricératops et les Crocodiles	GB+, série Orange, niveau 16	978-2-7616-3749-3
Un oiseau rusé	GB+, série Turquoise, niveau 17	978-2-7616-3763-3
La soupe au caillou	GB+ Contes et théâtre, série Turquoise, niveau 17	978-2-7616-3633-9
Le club d'équitation	GB+ Histoires en photos, série Verte, niveau 14	978-2-7616-4948-3
Champignons fantastiques	Zap sciences, série Turquoise, niveaux 17 et 18	978-2-7616-4190-6
La structure du texte		
Bombyx et le tournoi de cerfs-volants	BÉDÉLire	978-2-7650-2012-7
Je fais un terrarium	Comment faire ?, série Orange-Mauve	978-2-7650-1934-3
La colombe et la fourmi	GB+, série Orange, niveau 15	978-2-7616-3733-6

Une cabane sous le gros arbre	GB+, série Turquoise, niveau 17	978-2-7616-3764-0
Gloussette la poulette	GB+ Contes et théâtre, série Orange, niveau 15	978-2-7616-3626-1
En retard à la fête	GB+ Histoires en photos, série Verte, niveau 14	978-2-7616-4944-5
Pourquoi les moustiques bourdonnent dans nos oreilles	Théâtre des lecteurs, Contes et légendes, Ensemble 1	978-2-7650-2196-4
La voix		
Encore des spaghettis !	GB+, série Orange, niveau 16	978-2-7616-3743-5
Le grand méchant loup	GB+, série Orange, niveau 16	978-2-7616-3747-3
Jasmine va jusqu'au bout	GB+, série Turquoise, niveau 17	978-2-7616-3759-6
Une surprise pour Vincent	GB+, série Turquoise, niveau 17	978-2-7616-3765-7
Le choix des mots		
Bernard le crabe	GB+, série Turquoise, niveau 18	978-2-7616-3767-1
Le gâteau au chocolat	GB+, série Violet, niveau 19	978-2-7616-3783-1
Picot le porc-épic	GB+, série Violet, niveau 19	978-2-7616-3788-6
Recyclons !	Zap sciences, série Orange, niveaux 15 et 16	978-2-7616-4177-7
La fluidité		
Les envahisseurs de la grande galaxie gluante	BÉDÉLire	978-2-7650-2021-9
Je fais du pain	Comment faire ?, série Orange-Mauve	978-2-7650-1932-9
La grotte secrète	GB+, série Orange, niveau 16	978-2-7616-3745-9
Un petit chien devant la porte	GB+, série Turquoise, niveau 18	978-2-7616-3775-6
Poilu joue à la balle	GB+, série Violet, niveau 19	978-2-7616-3789-3
Le vilain petit canard	GB+ Contes et théâtre, série Turquoise, niveau 18	978-2-7616-3636-0
La danse des bonshommes	GB+ Histoires en photos, série Verte, niveau 13	978-2-7616-4942-1
Le lion et le lapin	Théâtre des lecteurs, Contes et légendes, Ensemble 1	978-2-7650-2192-6
Les conventions linguistiques		
Jérémie Renifle flaire le danger	BÉDÉLire	978-2-7650-2019-6
La course de spaghettis	GB+ Histoires en photos, série Verte, niveau 13	978-2-7616-4946-9
Comment la tortue a abîmé sa carapace	Théâtre des lecteurs, Contes et légendes, Ensemble 1	978-2-7650-2195-7

▷

Tableau 3 Des livrets pour la 3e année du primaire

Titre	Collection	ISBN
Les idées		
Mère Teresa de Calcutta	Envol, 3e année	978-2-7650-1322-8
La structure du texte		
Les personnes en mouvement	GB+, série Violet, niveaux 20 et 21	978-2-7616-3818-0
Les lutins et le cordonnier	GB+ Contes et théâtre, série Turquoise, niveau 18	978-2-7616-2537-1
Inventer l'avenir	Idées-chocs, série Bleue	978-2-7650-1991-6
Alerte planétaire	Navigation, série Turquoise, 3e année	978-2-7650-1608-3
Vers la ville	Tour d'horizon, Ensemble 1	978-2-7650-2238-1
15 faits sur les serpents	Zap sciences, série Turquoise, niveaux 17 et 18	978-2-7616-4189-0
Eurêka !	Zénith Perspectives, série Jaune, 3e année	978-2-7650-1662-5
Le robot ravageur	BÉDÉLire	978-2-7650-2013-4
Je fais une station météo	Comment faire ?, série Orange-Mauve	978-2-7650-1937-4
L'école à la radio	Envol, 3e année	978-2-7650-1343-3
La famille la plus gentille	GB+, série Violet, niveau 20	978-2-7616-3805-0
Le garçon qui criait au loup	GB+ Contes et théâtre, série Violet, niveau 19	978-2-7616-3638-4
Le lièvre et la tortue	GB+ Contes et théâtre, série Violet, niveau 19	978-2-7616-3639-1
Urgence	Idées-chocs, série Bleue	978-2-7650-1992-3
Des inventions étonnantes	Les incomparables	978-2-7650-1759-2
Vis, poulies et autres machines	Navigation, série Turquoise, 3e année	978-2-7650-1609-0
Romi et le crapaud parlant	Théâtre des lecteurs, Contes et légendes, Ensemble 1	978-2-7650-2194-0
Espace recherché	Tour d'horizon, Ensemble 1	978-2-7650-2095-0
Message bien reçu !	Zénith Perspectives, série Jaune, 3e année	978-2-7650-1652-6
La voix		
Mon ami l'éléphant	Envol, 3e année	978-2-7650-1320-4
Une cabane sous le gros arbre	GB+, série Turquoise, niveau 17	978-2-7616-3764-0
Mon animal à moi	GB+, série Violet, niveau 20	978-2-7616-3812-8
L'invitation surprise	GB+, série Or, niveau 21	978-2-7616-3824-1
Quelle est la différence ?	Zénith Perspectives, série Jaune, 3e année	978-2-7650-1651-9
Le choix des mots		
Une chance inouïe	Envol, 3e année	978-2-7650-1354-9
Vers un nouveau monde	GB+, série Or, niveau 21	978-2-7616-3829-6

Un grand moment pour Émile	GB+, série Argent, niveau 24	978-2-7616-3863-0
Le lièvre et la tortue	GB+ Contes et théâtre, série Violet, niveau 19	978-2-7616-3639-1
Les créatures des profondeurs	Idées-chocs, série Bleue	978-2-7650-1989-3
Des créatures mortelles	Les incomparables	978-2-7650-1754-7
Les maths du corps humain	Navigation, série Turquoise, 3e année	978-2-7650-1612-0
Garder l'équilibre	Tour d'horizon, Ensemble 1	978-2-7650-2239-8
Qu'en penses-tu ?	Zénith Perspectives, série Jaune, 3e année	978-2-7650-1657-1
La fluidité		
Les insectes contre-attaquent	BÉDÉLire	978-2-7650-2015-8
Je fais de la photographie	Comment faire ?, série Orange-Mauve	978-2-7650-1938-1
Le soleil caché	Envol, 3e année	978-2-7650-1347-1
Une aventure excitante	Envol, 3e année	978-2-7650-1344-0
Le cheval de bois	GB+, série Violet, niveau 20	978-2-7616-3806-7
Des dinosaures meurtriers	Les incomparables	978-2-7650-1755-4
Tout un monde !	Zénith Perspectives, série Jaune, 3e année	978-2-7650-1658-8
Les conventions linguistique		
La malédiction du Scorpion rouge	BÉDÉLire	978-2-7650-2016-5
Revue de presse	Médi@Lire	978-2-7650-2272-5
L'herbe est toujours plus verte et *Ne réveillez pas le chien qui dort*	Théâtre des lecteurs, Contes et légendes, Ensemble 1	978-2-7650-2191-9
Contre toute attente	Zénith Perspectives, série Jaune, 3e année	978-2-7650-1660-1

Tableau 4 | Des livrets pour la 4e année du primaire

Titre	Collection	ISBN
Les idées		
La couleur de la vie	Envol, 4e année	978-2-7650-1360-0
Miro, le petit suricate	GB+, série Or, niveau 21	978-2-7616-3825-8
Un mystère dans la jungle	GB+ Contes et théâtre, série Argent, niveau 23	978-2-7616-3651-3
Le langage des animaux	Idées-chocs, série Verte	978-2-7650-1994-7
Notre système solaire	Navigation, série Orange, 4e année	978-2-7650-1613-7
Face aux changements	Tour d'horizon, Ensemble 2	978-2-7650-2247-3
Allons faire des achats	Zap sciences, série Or, niveaux 21 et 22	978-2-7616-4238-5

▷

Ça y est!	Zénith Perspectives, série Turquoise, 4e année	978-2-7650-1671-7
La structure du texte		
Bombyx, insecte ninja	BÉDÉLire	978-2-7650-2018-9
Le plus vieux des festivals	Envol, 4e année	978-2-7650-1370-9
Les tortues et l'autoroute	GB+, série Or, niveau 22	978-2-7616-3838-8
Le sourire de grand-maman	GB+, série Émeraude, niveau 25	978-2-7616-3877-7
Canulars, farces et attrapes	Idées-chocs, série Verte	978-2-7650-1997-8
Des machines épatantes	Les incomparables	978-2-7650-1757-8
Des animaux surprenants	Navigation, série Orange, 4e année	978-2-7650-1618-2
Le beau manteau du hodja	Théâtre des lecteurs, Contes et légendes, Ensemble 2	978-2-7650-2201-5
Une bonne pêche	Tour d'horizon, Ensemble 2	978-2-7650-2246-6
Quand grand-père était jeune	Zap sciences, série Or, niveaux 21 et 22	978-2-7616-4247-7
Le plaisir de découvrir	Zénith Perspectives, série Turquoise, 4e année	978-2-7650-1666-3
La voix		
Le voyou	GB+, série Argent, niveau 23	978-2-7616-3852-4
Un choix difficile	GB+, série Argent, niveau 23	978-2-7616-3854-8
Jeu d'équipe	GB+, série Argent, niveau 24	978-2-7616-3858-6
C'est un abat!	GB+, série Émeraude, niveau 25	978-2-7616-3873-9
Minuit dans le tunnel	GB+, série Émeraude, niveau 26	978-2-7616-5355-8
Le chien triste	GB+, série Émeraude, niveau 26	978-2-7616-3887-6
Famille et amis	Zénith Perspectives, série Turquoise, 4e année	978-2-7650-1665-6
Le choix des mots		
Opération Migration	Envol, 4e année	978-2-7650-1363-1
Incendie chez les koalas	GB+, série Or, niveau 22	978-2-7616-3831-9
À la recherche d'un trésor	GB+, série Argent, niveau 24	978-2-7616-3856-2
L'homme sur le dos d'un tigre	GB+, série Argent, niveau 24	978-2-7616-3861-6
Le pouvoir du cerveau	Idées-chocs, série Verte	978-2-7650-2005-9
Des prédateurs menaçants	Les incomparables	978-2-7650-1758-5
Le courant passe	Navigation, série Orange, 4e année	978-2-7650-1620-5
L'Odyssée	Théâtre des lecteurs, Contes et légendes, Ensemble 2	978-2-7650-2197-1
Des solutions à la pollution	Tour d'horizon, Ensemble 2	978-2-7650-2253-4
Notre planète	Zénith Perspectives, série Turquoise, 4e année	978-2-7650-1670-0

La fluidité		
Le garçon qui faisait trop de rots	BÉDÉLire	978-2-7650-2017-2
La musique des dieux	Envol, 4e année	978-2-7650-1359-4
Dick Whittington	GB+ Contes et théâtre, série Argent, niveau 24	978-2-7616-3652-4
Robin des Bois et Petit Jean	GB+, série Argent, niveau 24	978-2-7616-3862-3
Le jardin japonais	GB+, série Or, niveau 22	978-2-7616-3835-7
Des bêtes préhistoriques	Les incomparables	978-2-7650-1756-1
Kanchil déjoue le crocodile	Théâtre des lecteurs, Contes et légendes, Ensemble 2	978-2-7650-2202-2
Les dangereux métiers d'autrefois	Zap sciences, série Argent, niveaux 23 et 24	978-2-7616-4222-4
Quel mystère !	Zénith Perspectives, série Turquoise, 4e année	978-2-7650-1663-2
Les conventions linguistiques		
Le jour où maman a craqué	BÉDÉLire	978-2-7650-2023-3
Jour de chance	GB+, série Émeraude, niveau 26	978-2-7616-5357-2
Internet et ses secrets	Médi@Lire	978-2-7650-2270-1
L'araignée Anansi et le Roi du ciel	Théâtre des lecteurs, Contes et légendes, Ensemble 2	978-2-7650-2200-8
Quel est le problème ?	Zénith Perspectives, série Turquoise, 4e année	978-2-7650-1674-8

Tableau 5 | Des livrets pour la 5e année du primaire

Titre	Collection	ISBN
Les idées		
Les trésors des Mayas	Envol, 5e année	978-2-7650-1375-4
Regard sur l'art	GB+, série Émeraude, niveau 25	978-2-7616-3879-1
Un feu à la ferme	GB+, série Émeraude, niveau 25	978-2-7616-3880-7
L'inondation	GB+, série Émeraude, niveau 26	978-2-7616-3889-0
Qui a eu cette idée folle ?	Idées-chocs, série Orange	978-2-7650-2004-2
Les animaux marins	Navigation, série Vert, 5e année	978-2-7650-1622-9
La réconciliation	Tour d'horizon, Ensemble 3	978-2-7650-2254-1
Le rêve de voler	Zap sciences, série Émeraude, niveaux 25 et 26	978-2-7616-4231-6
Un sentiment d'appartenance	Zénith Perspectives, série Lilas, 5e année	978-2-7650-1683-0
La structure du texte		
Une fleur cachée	Envol, 5e année	978-2-7650-1384-6

▷

La danse... pas à pas !	GB+, série Émeraude, niveau 26	978-2-7616-3884-5
Le vieil homme du parc	GB+, série Rubis, niveau 27	978-2-7616-3894-4
Nicolas, ici et là !	GB+, série Saphir, niveau 30	978-2-7616-3935-4
Plus gros, plus grand, plus rapide	Idées-chocs, série Orange	978-2-7650-2000-4
Des dinosaures meurtriers	Les incomparables	978-2-7650-1755-4
Fantastique plastique	Navigation, série Vert, 5e année	978-2-7650-1627-4
Hansel et Gretel	Théâtre des lecteurs, Contes et légendes, Ensemble 3	978-2-7650-2208-4
Vive l'école !	Tour d'horizon, Ensemble 3	978-2-7650-2253-4
Les plantes	Zap sciences, série Émeraude, niveaux 25 et 26	978-2-7616-4235-4
Très bizarre...	Zénith Perspectives, série Lilas, 5e année	978-2-7650-1675-5
La voix		
Une nouvelle façon de vivre	GB+, série Émeraude, niveau 25	978-2-7616-3881-4
Les garçons ne dansent pas !	GB+, série Émeraude, niveau 26	978-2-7616-3888-3
Cher Grognon	GB+, série Rubis, niveau 27	978-2-7616-3892-0
Pégase	GB+, série Rubis, niveau 27	978-2-7616-5358-9
Des grenouilles fascinantes... et fragiles	GB+, série Rubis, niveau 28	978-2-7616-3900-2
Drago	GB+, série Rubis, niveau 28	978-2-7616-3875-3
Journal du désert	GB+, série Rubis, niveau 28	978-2-7616-3902-6
Quelle compétition !	GB+, série Rubis, niveau 28	978-2-7616-3906-4
Les proies	Zap sciences, série Rubis, niveaux 27 et 28	978-2-7616-4253-8
Qui suis-je ?	Zénith Perspectives, série Lilas, 5e année	978-2-7650-1677-9
Le choix de mots		
Deux reines guerrières	Envol, 5e année	978-2-7650-1387-7
Les loups	GB+, série Rubis, niveau 28	978-2-7616-3905-7
Les fibres et la mode	GB+, série Saphir, niveau 29	978-2-7616-3911-8
Dossiers sur les extraterrestres	Idées-chocs, série Orange	978-2-7650-2002-8
Des inventions étonnantes	Les incomparables	978-2-7650-1759-2
À l'affiche cette semaine	Médi@Lire	978-2-7650-2274-9
L'électricité et le magnétisme	Navigation, série Vert, 5e année	978-2-7650-1628-1
Les aventures du bonhomme de pain d'épice	Théâtre des lecteurs, Contes et légendes, Ensemble 3	978-2-7650-2207-7
La survie des langues	Tour d'horizon, Ensemble 3	978-2-7650-2250-3
Les forces de la nature	Zénith Perspectives, série Lilas, 5e année	978-2-7650-1681-6

La fluidité		
Moana Makana	Envol, 5e année	978-2-7650-1379-2
Le rossignol	GB+, série Émeraude, niveau 25	978-2-7616-3876-0
Les papillons	GB+, série Émeraude, niveau 26	978-2-7616-3886-9
Le brahmane et le tigre ingrat	GB+, série Rubis, niveau 28	978-2-7616-3903-3
Des créatures mortelles	Les incomparables	978-2-7650-1754-7
Quetzalcoatl, les humains et le maïs	Théâtre des lecteurs, Contes et légendes, Ensemble 2	978-2-7650-2199-5
Pour le plaisir	Zénith Perspectives, série Lilas, 5e année	978-2-7650-1679-3
Les conventions linguistiques		
Une fleur cachée	Envol, 5e année	978-2-7650-1387-7
Lisa de trop	GB+, série Rubis, niveaux 27 et 28	978-2-7616-5359-6
L'épée dans la pierre	Théâtre des lecteurs, Contes et légendes, Ensemble 2	978-2-7650-2198-8
Attention, fragile !	Zénith Perspectives, série Lilas, 5e année	978-2-7650-1684-7

Tableau 6 Des livrets pour la 6e année du primaire

Titre	Collection	ISBN
Les idées		
Le plus grand joueur	Envol, 6e année	978-2-7650-1393-8
Le grand cœur de Julien	GB+, série Saphir, niveau 29	978-2-7616-3909-5
Pêche nocturne	GB+, série Saphir, niveau 29	978-2-7616-3913-2
Façonner les formes	GB+, série Saphir, niveau 30	978-2-7616-3929-3
Vivre dans l'espace	Idées-chocs, série Violette	978-2-7650-2006-6
Les catastrophes écologiques	Navigation, série Bleu marine, 6e année	978-2-7650-1635-9
La structure du texte		
La nature sauvage	Envol, 6e année	978-2-7650-1388-4
La cuisine, une science	GB+, série Saphir, niveau 29	978-2-7616-3908-8
Le Vésuve se réveille	GB+, série Saphir, niveau 30	978-2-7616-3930-9
Un monde de robots	Idées-chocs, série Violette	978-2-7650-2005-9
Des dinosaures meurtriers	Les incomparables	978-2-7650-1755-4
Forces et mouvements sur la Terre	Navigation, série Bleu marine, 6e année	978-2-7650-1634-2
Le Petit Chaperon vert	Théâtre des lecteurs, Contes et légendes, Ensemble 3	978-2-7650-2206-0
L'art de bien manger	Tour d'horizon, Ensemble 4	978-2-7650-2261-9

▷

La voix		
La cuisine, une science	GB+, série Saphir, niveau 29	978-2-7616-3908-8
Sur les traces d'Amélia	GB+, série Saphir, niveau 29	978-2-7616-3914-9
A pour affreuse	GB+, série Saphir, niveau 30	978-2-7616-3929-3
Mon voyage en Grèce	GB+, série Saphir, niveau 30	978-2-7616-3934-7
La planche à roulettes	Quelle aventure !	978-2-7650-1108-8
Le choix des mots		
La reine d'Égypte	Envol, 6e année	978-2-7650-1402-7
Une aventure souterraine	GB+, série Saphir, niveau 29	978-2-7616-3916-3
L'homme qui a mesuré la Terre	GB+, série Saphir, niveau 30	978-2-7616-5368-8
En voie d'extinction	Idées-chocs, série Violette	978-2-7650-2007-3
Des machines épatantes	Les incomparables	978-2-7650-1757-8
À toi de jouer !	Médi@Lire	978-2-7650-2275-6
Pharaons, pyramides et momies	Navigation, série Bleu marine, 6e année	978-2-7650-1631-1
Jeunes de la ville, jeunes de la campagne	Théâtre des lecteurs, Contes et légendes, Ensemble 3	978-2-7650-2204-6
La fluidité		
Les aventures de Mathieu	Envol, 6e année	978-2-7650-1401-0
Un monde de couleurs	GB+, série Saphir, niveau 29	978-2-7616-3915-6
Brave Pili	GB+, série Saphir, niveau 30	978-2-7616-3927-9
Mon oasis de rêves	GB+, série Saphir, niveau 30	978-2-7616-3933-0
Des prédateurs menaçants	Les incomparables	978-2-7650-1758-5
Le renard et la reine du fromage	Théâtre des lecteurs, Contes et légendes, Ensemble 3	978-2-7650-2205-3
Les conventions linguistiques		
Un sauvetage à Red Rock	Envol, 6e année	978-2-7650-1389-1
Mon voyage en Thaïlande	GB+, série Saphir, niveau 29	978-2-7616-5366-4
Tout en musique	Médi@Lire	978-2-7650-2273-2
Les instruments de mesure	Navigation, série Bleu marine, 6e année	978-2-7650-1633-5
Le spectacle de la sauterelle et de la fourmi	Théâtre des lecteurs, Contes et légendes, Ensemble 3	978-2-7650-2203-9

Tableau 7 | Des livrets pour la 1re année du secondaire

Titre	Collection	ISBN
Les idées		
Les Égyptiens	Chenelière Civilisations anciennes	978-2-7650-1639-7
Les Incas	Chenelière Civilisations anciennes	978-2-7650-1641-0
Un inventeur visionnaire	Envol, 6e année	978-2-7650-1405-8
La Seconde Guerre mondiale	La mémoire des mots	978-2-7650-1967-1
Le pouvoir de la télé	Médi@Lire	978-2-7650-2271-8
La réconciliation	Tour d'horizon, Ensemble 3	978-2-7650-2254-1
La structure du texte		
Les sciences en toute sécurité	BÉDÉ Sciences	978-2-7650-2309-8
Les Aztèques	Chenelière Civilisations anciennes	978-2-7650-1637-3
Les Grecs	Chenelière Civilisations anciennes	978-2-7650-1640-3
Un fabuleux château	Envol, 6e année	978-2-7650-1397-6
La guerre du Vietnam	La mémoire des mots	978-2-7650-1969-5
La Terre en danger	Sciences appliquées	978-2-7650-2303-6
La voix		
L'homme au masque de fer	Envol, 6e année	978-2-7650-1398-3
L'Holocauste	La mémoire des mots	978-2-7650-1968-8
Le cœur révélateur	Théâtre des lecteurs, Classiques	978-2-7650-2211-4
Le choix des mots		
Le monde branché de l'électricité	BÉDÉ Sciences	978-2-7650-2310-4
Le jaguar blanc	Envol, 6e année	978-2-7650-1392-1
La science à toute vitesse	Sciences appliquées	978-2-7650-2301-2
Médecine de la jungle	Sciences appliquées	978-2-7650-2302-9
Roméo et Juliette à Beverly Hills	Théâtre des lecteurs, Classiques	978-2-7650-2213-8
Équitable ?	Tour d'horizon, Ensemble 3	978-2-7650-2255-8
La fluidité		
L'adaptation dans tous ses états	BÉDÉ Sciences	978-2-7650-2307-4
Un sauvetage à Red Rock	Envol, 6e année	978-2-7650-1389-1
Le tour du monde en 80 jours	Théâtre des lecteurs, Classiques	978-2-7650-2210-7
Les conventions linguistiques		
Voyage dans l'univers du son	BÉDÉ Sciences	978-2-7650-2313-5

▷

Une évasion	Envol, 6e année	978-2-7650-1404-1
Les trois mousquetaires	Théâtre des lecteurs, Classiques	978-2-7650-2209-1

Tableau 8 Des livrets pour la 2e année du secondaire

Titre	Collection	ISBN
Les idées		
Les Chinois	Chenelière Civilisations anciennes	978-2-7650-1638-0
Les Romains	Chenelière Civilisations anciennes	978-2-7650-1642-7
Une femme de génie	Envol, 6e année	978-2-7650-1399-0
La Première Guerre mondiale	La mémoire des mots	978-2-7650-1965-7
Se gouverner	Tour d'horizon, Ensemble 4	978-2-7650-2259-6
La structure du texte		
Les mystères de la photosynthèse	BÉDÉ Sciences	978-2-7650-2312-8
Les Vikings	Chenelière Civilisations anciennes	978-2-7650-1643-4
Un coup de départ	Envol, 6e année	978-2-7650-1403-4
La guerre du Vietnam	La mémoire des mots	978-2-7650-1969-5
La voix		
L'homme au masque de fer	Envol, 6e année	978-2-7650-1398-3
La Grande Dépression	La mémoire des mots	978-2-7650-1966-4
La parure	Théâtre des lecteurs, Classiques	978-2-7650-2212-1
Le choix des mots		
La science enquête	Sciences appliquées	978-2-7650-2299-2
La vie dans l'espace	Sciences appliquées	978-2-7650-2300-5
Riche ou pauvre ?	Tour d'horizon, Ensemble 4	978-2-7650-2256-5
La fluidité		
Coup d'œil sur les forces et le mouvement	BÉDÉ Sciences	978-2-7650-2306-7
Qu'est-ce qu'on mange ?	Sciences appliquées	978-2-7650-2304-3
La guerre des mondes	Théâtre des lecteurs, Classiques	978-2-7650-2214-5
Les conventions linguistiques		
À la découverte des écosystèmes	BÉDÉ Science	978-2-7650-2308-1
Regard sur la chaîne alimentaire	BÉDÉ Sciences	978-2-7650-2311-1
La mousson	Envol, 6e année	978-2-7650-1395-2

Bibliographie

BÉLANGER, D. (1996). *Les deux printemps,* Montréal, Editorial Avenue.

BROWNE, A. (2006). *Billy se bile,* Paris, Kaléidoscope.

DICTIONNAIRE MEDIADICO (2009). [En ligne], http://www.mediadico.com/dictionnaire/

GILMAN, P. (2005). *Un merveilleux petit rien,* Toronto, Scholastic.

MESCHENMOSER, S. (2008). *L'écureuil et la lune,* Paris, Minedition.

ROUTMAN, R. (2007). *Enseigner la lecture: revenir à l'essentiel,* Montréal, Chenelière Éducation.

SPANDEL, V. (2004). *Creating Writers Through 6-Trait Writing Assessment and Instruction,* 4e éd., New Jersey, Allyn and Bacon.

SPANDEL, V. (2005a). *Ma trousse d'écriture: guide d'exploitation pédagogique 3,* Montréal, Beauchemin.

SPANDEL, V. (2005b). *Ma trousse d'écriture: guide d'exploitation pédagogique 5,* Montréal, Beauchemin.

SPANDEL, V. (2007). *Ma trousse d'écriture: guide d'exploitation pédagogique 1,* Montréal, Beauchemin.